FISCHER BIBLIOTHEK

Franz Werfel

EINE BLASSBLAUE
FRAUENSCHRIFT

*Mit einem Nachwort
von Friedrich Heer*

S. Fischer Verlag

2. Auflage. 11.-13. Tausend
Copyright 1955 by Alma Mahler-Werfel
(›Erzählungen aus zwei Welten‹, Band III)
Satz und Druck: Georg Wagner, Nördlingen
Einband: G. Lachenmaier, Reutlingen
Printed in Germany 1983
ISBN 3 10 091023 0

Die Post lag auf dem Frühstückstisch. Ein beträcht-
licher Stoß von Briefen, denn Leonidas hatte erst
vor kurzem seinen fünfzigsten Geburtstag gefeiert
und täglich trafen noch immer glückwünschende
Nachzügler ein. Leonidas hieß wirklich Leonidas.
Den eben so heroischen wie drückenden Vornamen
verdankte er seinem Vater, der ihm als dürftiger
Gymnasiallehrer außer diesem Erbteil nur noch die
vollzähligen griechisch-römischen Klassiker und
zehn Jahrgänge der ›Tübinger altphilologischen
Studien‹ vermacht hatte. Glücklicherweise ließ sich
der feierliche Leonidas leicht in einen schlichtge-
bräuchlichen Leo umwandeln. Seine Freunde nannten ihn so, und Amelie hatte ihn niemals anders
gerufen als Leon. Sie tat es auch jetzt, indem sie mit
ihrer dunklen Stimme der zweiten Silbe von León
eine melodisch langgezogene und erhöhte Note
gab.
»Du bist unerträglich beliebt, León«, sagte sie.
»Wieder mindestens zwölf Gratulationen . . .«
Leonidas lächelte seiner Frau zu, als bedürfe es
einer verlegenen Entschuldigung, daß es ihm gelun-

gen sei, zugleich mit dem Gipfel einer glänzenden Karriere sein fünfzigstes Lebensjahr zu erreichen. Seit einigen Monaten war er Sektionschef im ›Ministerium für Kultus und Unterricht‹ und gehörte somit zu den vierzig bis fünfzig· Beamten, die in Wirklichkeit den Staat regierten. Seine weiße ausgeruhte Hand spielte zerstreut mit dem Briefstapel.

Amelie löffelte langsam eine Grapefruit aus. Das war alles, was sie morgens zu sich nahm. Der Umhang war ihr von den Schultern geglitten. Sie trug ein schwarzes Badetrikot, in welchem sie ihre alltägliche Gymnastik zu erledigen pflegte. Die Glastür auf die Terrrasse stand halb offen. Es war ziemlich warm für die Jahreszeit. Von seinem Platz aus konnte Leonidas weit über das Gartenmeer der westlichen Vorstadt von Wien hinaussehen, bis zu den Bergen, an deren Hängen die Metropole verebbte. Er warf einen prüfenden Blick nach dem Wetter, das für sein Behagen und seine Arbeitskraft eine wesentliche Rolle spielte. Die Welt präsentierte sich heute als ein lauer Oktobertag, der in einer Art von launisch gezwungener Jugendlichkeit einem Apriltage glich. Über den Weinbergen der Bannmeile schob sich dickes hastiges Gewölk, schneeweiß und mit scharf gezeichneten Rändern. Wo der Himmel frei war, bot er ein nacktes, für diese Jahreszeit beinahe schamloses Frühlingsblau dar. Der Garten vor der Terrasse, der sich noch kaum verfärbt hatte, wahrte eine ledrig hartnäckige Sommerlichkeit. Kleine gassenbübische Winde sprangen mutwillig mit dem Laub um, das noch recht fest zu hängen schien.

Ziemlich schön, dachte Leonidas, ich werde zu Fuß ins Amt gehen. Und er lächelte wiederum. Es war dies aber ein merkwürdig gemischtes Lächeln, begeistert und mokant zugleich. Immer, wenn Leonidas mit Bewußtsein zufrieden war, lächelte er mokant und begeistert. Wie so viele gesunde, wohlgestalte, ja schöne Männer, die es im Leben zu einer hohen Stellung gebracht haben, neigte er dazu, sich in den ersten Morgenstunden ausnehmend zufrieden zu fühlen und dem gewundenen Lauf der Welt rückhaltlos zuzustimmen. Man trat gewissermaßen aus dem Nichts der Nacht über die Brücke eines leichten, alltäglichen neugeborenen Erstaunens in das Vollbewußtsein des eigenen Lebenserfolges ein. Und dieser Lebenserfolg konnte sich wahrhaftig sehen lassen: Sohn eines armen Gymnasialprofessors achter Rangklasse. Ein Niemand, ohne Familie, ohne Namen, nein ärger, mit einem aufgeblasenen Vornamen behaftet. Welch eine triste, frostige Studienzeit! Man bringt sich mit Hilfe von Stipendien und als Hauslehrer bei reichen, dicklichen und unbegabten Knaben mühsam durch. Wie schwer ist es, das verlangende Hungerblinzeln in den eigenen Augen zu bemeistern, wenn der träge Zögling zu Tisch

7

gerufen wird! Aber ein Frack hängt dennoch im leeren Schrank. Ein neuer tadelloser Frack, an dem nur ein paar kleine Korrekturen vorgenommen werden mußten. Dieser Frack nämlich ist ein Erbstück. Ein Studienkollege und Budennachbar hat ihn Leonidas testamentarisch hinterlassen, nachdem er sich eines Abends im Nebenzimmer eine Kugel unangekündigt durch den Kopf gejagt hatte. Es geht fast wie im Märchen zu, denn dieses Staatsgewand wird entscheidend für den Lebensweg des Studenten. Der Eigentümer des Fracks war ein ›intelligenter Israelit‹. (So vorsichtig bezeichnet ihn auch in seinen Gedanken der feinbesaitete Leonidas, der den allzu offenen Ausdruck peinlicher Gegebenheiten verabscheut.) Diesen Leuten ging es übrigens in damaliger Zeit so erstaunlich gut, daß sie sich dergleichen luxuriöse Selbstmordmotive wie philosophischen Weltschmerz ohne weiteres leisten konnten.

Ein Frack! Wer ihn besitzt, darf Bälle und andere gesellschaftliche Veranstaltungen besuchen. Wer in seinem Frack gut aussieht und überdies ein besonderes Tänzertalent besitzt wie Leonidas, der erweckt rasche Sympathien, schließt Freundschaften, lernt strahlende junge Damen kennen, wird in ›erste Häuser‹ eingeladen. So war es wenigstens damals in jener staunenswerten Zauberwelt, in der es eine soziale Rangordnung und darin das Unerreichbare gab, das des auserwählten Siegers harrte, damit er es erreiche. Mit einem blanken Zufall begann die Karriere des armen Hauslehrers; mit der Eintrittskarte zu einem der großen Ballfeste, die Leonidas geschenkt erhielt. Der Frack des Selbstmörders kam somit zu providentieller Geltung. Indem der verzweifelte Erblasser ihn mit seinem Leben hingegeben hatte, half er dem glücklicheren Erben über die Schwelle einer glänzenden Zukunft. Und dieser Leonidas erlag in den Thermopylen seiner engen Jugend keineswegs der Übermacht einer hochmütigen Gesellschaft. Nicht nur Amelie, auch andere Frauen behaupten, daß es einen Tänzer seinesgleichen nie gegeben habe, noch auch je wieder geben werde. Muß erst gesagt werden, daß Leóns Domäne der Walzer war, und zwar der nach links getanzte, schwebend, zärtlich, unentrinnbar fest und locker zugleich? Im beschwingten Zweischritt-Walzer jener sonderbaren Epoche konnte sich noch ein Liebesmeister, ein Frauenführer beweisen, während (nach Leóns Überzeugung) die Tänze des modernen Massenmenschen in ihrem gleichgültigen Gedränge nur dem maschinellen Trott ziemlich unbeseelter Glieder einen knappen Raum gewähren.

Auch dann, wenn Leonidas sich seiner verrauschten Tänzertriumphe erinnert, umspielt das so charakteristisch gemischte Lächeln seinen hübschen Mund mit den blitzenden Zähnen und dem weichen

Schnurrbärtchen, das noch immer blond ist. Er hält sich mehrmals am Tage für einen ausgemachten Götterliebling. Würde man ihn auf seine ›Weltanschauung‹ prüfen, er müßte offen bekennen, daß er das Universum als eine Veranstaltung ansehe, deren einziger Sinn und Zweck darin besteht, Götterlieblinge seinesgleichen aus der Tiefe zur Höhe emporzuhätscheln und sie mit Macht, Ehre, Glanz und Luxus auszustatten. Ist nicht sein eigenes Leben der Vollbeweis für diesen freundlichen Sinn der Welt? Ein Schuß fällt in der Nachbarkammer seines schäbigen Studentenquartiers. Er erbt einen beinah noch funkelnagelneuen Frack. Und schon kommt's wie in einer Ballade. Er besucht im Fasching einige Bälle. Er tanzt glorreich, ohne es je gelernt zu haben. Es regnet Einladungen. Ein Jahr später gehört er bereits zu den jungen Leuten, um die man sich reißt. Wird sein allzu klassischer Vorname genannt, tritt lächelndes Wohlwollen auf alle Mienen. Sehr schwierig ist es, das Betriebskapital für ein derart beliebtes Doppelleben herbeizuschaffen. Seinem Fleiß, seiner Ausdauer, seiner Bedürfnislosigkeit gelingt's. Vor der Zeit besteht er alle seine Prüfungen. Glänzende Empfehlungen öffnen ihm die Pforten des Staatsdienstes. Er findet sogleich die prompte Zuneigung seiner Vorgesetzten, die seine angenehm gewandte Bescheidenheit nicht hoch genug zu rühmen wissen. Schon nach wenigen Jahren erfolgt die vielbeneidete Versetzung zur Zentralbehörde, die sonst nur den besten Namen und den ausgesuchtesten Protektionskindern vorbehalten ist. Und dann diese wilde Verliebtheit Amelie Paradinis, der Achtzehnjährigen, Bildschönen . . .

Das leichte Erstaunen allmorgendlich beim Erwachen ist wahrhaftig nicht ungerechtfertigt. Paradini!? Man irrt nicht, wenn man bei diesem Namen aufhorcht. Ja, es handelt sich in der Tat um das bekannte Welthaus Paradini, das in allen Weltstädten Zweigniederlassungen besitzt. (Seither ist freilich das Aktienkapital von den großen Banken aufgesaugt worden.) Vor zwanzig Jahren aber war Amelie die reichste Erbin der Stadt. Und keiner der glänzenden Namen aus Adel und Großindustrie, keiner von diesen himmelhoch überlegenen Bewerbern hatte die blutjunge Schönheit erobert, sondern er, der Sohn des hungerleidenden Lateinlehrers, ein Jüngling mit dem geschwollenen Namen Leonidas, der nichts besaß als einen gutsitzenden, aber makabren Frack. Dabei ist das Wort ›erobert‹ schon eine Ungenauigkeit. Denn, recht besehen, war er auch in dieser Liebesgeschichte nicht der Werbende, sondern der Umworbene. Das junge Mädchen nämlich hatte mit unnachgiebiger Energie die Ehe durchgesetzt gegen den erbitterten Widerstand der ganzen millionenschweren Verwandtschaft.

Und hier sitzt sie ihm gegenüber, heut wie allmorgendlich, Amelie, sein großer, sein größter Lebenserfolg. Merkwürdig, das Grundverhältnis zwischen ihnen hat sich nicht verwandelt. Noch immer fühlt er sich als der Umworbene, als der Gewährende, als der Gebende, trotz ihres Reichtums, der ihn auf Schritt und Tritt mit Weite, Wärme und Behagen umgibt. Im übrigen betont Leonidas nicht ohne unbestechliche Strenge, daß er Amelies Besitztümer durchaus nicht für die seinen ansehe. Von allem Anfang an habe er zwischen diesem sehr ungleichen Mein und Dein eine feste Schranke aufgerichtet. Er betrachte sich in dieser reizenden, für zwei Menschen leider viel zu geräumigen Villa gleichsam nur als Mieter, als Pensionär, als zahlender Nutznießer, widme er doch sein ganzes Gehalt als Staatsbeamter ohne Abzug der gemeinsamen Lebensführung. Schon vom ersten Tage dieser Ehe an habe er auf dieser Unterscheidung unerbittlich bestanden. Mochten die Auguren einander auch anlächeln, Amelie war entzückt über den männlichen Stolz des Geliebten, des Erwählten. Er hat jüngst die Höhe des Lebens erreicht und geht nun die Treppe langsam abwärts. Als Fünfzigjähriger besitzt er eine acht- oder neununddreißigjährige Frau, blendend noch immer.

Sein Blick prüft sie.

In dem nüchtern entlarvenden Oktoberlicht schimmern Amelies nackte Schultern und Arme makellos weiß, ohne Flecken und Härchen. Dieses duftende Marmorweiß entstammt nicht nur der Wohlgeborenheit, sondern ist ebenso die Folge einer unablässigen kosmetischen Pflege, die sie ernstnimmt wie einen Gottesdienst. Amelie will für Leonidas jung bleiben und schön und schlank. Ja, schlank vor allem. Und das fordert beständige Härte gegen sich selbst. Vom steilen Weg dieser Tugend weicht sie keinen Schritt. Ihre kleinen Brüste zeichnen sich unterm schwarzen Trikot spitz und fest ab. Es sind die Brüste einer Achtzehnjährigen. Wir bezahlen diese jungfräulichen Brüste mit Kinderlosigkeit, denkt der Mann jetzt. Und er wundert sich selbst über diesen Einfall, denn als entschlossener Verteidiger seines eigenen ungeteilten Behagens hat er niemals den Wunsch nach Kindern gehegt. Eine Sekunde lang taucht er den Blick in Amelies Augen. Sie sind heute grünlich und sehr hell. Leonidas kennt genau diese wechselnde und gefährliche Färbung. An gewissen Tagen hat seine Frau meteorologisch veränderliche Augen. ›April-Augen‹ hat er's selbst einmal genannt. In solchen Zeiten muß man vorsichtig sein. Szenen liegen in der Luft ohne die geringste Ursache. Die Augen sind übrigens das einzige, was zu Amelies Jungmädchenhaftigkeit in sonderbarem Widerspruch steht. Sie sind älter als sie selbst. Die nachgemalten Brauen machen sie starr. Schatten und bläuliche Müdigkeit umgeben sie mit der ersten Ahnung des Verfalls. So sammelt sich in den saubersten Räumen an gewissen Stellen ein Niederschlag von Staub und Ruß. Etwas beinah schon Verwüstetes liegt in dem Frauenblick, der ihn festhält.

Leonidas wandte sich ab. Da sagte Amelie: »Willst du nicht endlich deine Post durchschauen?« – »Höchst langweilig«, murmelte er und sah erstaunt den Briefstoß an, auf dem seine Hand noch immer zögernd und abwehrend ruhte. Dann blätterte er wie ein Kartenspieler das schiere Dutzend vor sich auf und musterte es mit der Routine des Beamten, der die Bedeutung seines ›Einlaufs‹ mit einem halben Blick feststellt. Es waren elf Briefe, zehn davon in Maschinenschrift. Um so mahnender leuchtete die blaßblaue Handschrift des elften aus der eintönigen Reihe hervor. Eine großzügige Frauenschrift, ein wenig streng und steil. Leonidas senkte unwillkürlich den Kopf, denn er spürte, daß er aschfahl geworden war. Er brauchte einige Sekunden, um sich zu sammeln. Seine Hände erfroren vor Erwartung, Amelie werde jetzt eine Frage nach dieser blaßblauen Handschrift stellen. Doch Amelie fragte nichts. Sie sah aufmerksam in die Zeitung, die neben ihrem Gedeck lag, wie jemand, der sich nicht ohne Selbstüberwindung verpflichtet fühlt, die bedrohlichen Zeitereignisse zu verfolgen. Leonidas sagte etwas, um etwas zu sagen. Er würgte an der Unechtheit seines Tones:

»Du hast recht... nichts als öde Gratulationen ...«

Dann schob er – es war wieder der Griff eines gewiegten Kartenspielers – die Briefe zusammen und steckte sie mit vorbildlicher Lässigkeit in die Tasche. Seine Hand hatte sich weit echter benommen als seine Stimme. Amelie sah von der Zeitung nicht auf, während sie sprach:

»Wenn's dir recht ist, könnt ich all das fade Zeug für dich beantworten, León ...«

Aber Leonidas hatte sich schon erhoben, völlig Herr seiner selbst. Er strich sein graues Sakko glatt, zupfte die Manschetten aus den Ärmeln, legte dann die Hände in die schlanke Taille und wiegte sich mehrere Male auf den Zehenspitzen, als könne er auf diese Weise die Geschmeidigkeit seines prächtigen wohlgewachsenen Körpers prüfen und genießen:

»Für eine Sekretärin bist du mir zu gut, lieber Schatz«, lächelte er begeistert und mokant. »Das erledigen meine jungen Leute im Handumdrehen. Hoffentlich hast du heute keinen leeren Tag. Und vergiß bitte nicht, daß wir abends in der Oper sind ...«

Er beugte sich zu ihr hinab und küßte sie mit ausführlicher Innigkeit aufs Haar. Sie blickte ihn voll an mit ihrem Blick, der älter war als sie selbst. Sein schmales Gesicht war rosig, frisch und wundervoll rasiert. Es strahlte von Glätte, von jener unzerstörbaren Glätte, die sie beunruhigte und gebannt hielt seit jeher.

Zweites Kapitel

DIE WIEDERKEHR DES GLEICHEN

Nachdem Leonidas sich von Amelie verabschiedet hatte, verließ er das Haus nicht alsogleich. Allzusehr brannte in seiner Tasche der Brief mit der blaßblauen Frauenhandschrift. Auf der Straße pflegte er weder Briefe noch Zeitungen zu lesen. Das ziemte sich nicht für einen Mann seines Ranges und seiner Angesehenheit im wörtlichen Sinne. Andrerseits besaß er die unschuldige Geduld nicht, solange zu warten, bis er sich ungestört in seinem großen Arbeitszimmer im Ministerium befinden würde. So tat er das, was er öfters als Knabe getan hatte, wenn es eine Heimlichkeit zu verbergen, ein schlüpfriges Bild zu betrachten, ein verbotenes Buch zu lesen galt. Der Fünfzigjährige, dem niemand nachspionierte, blickte ängstlich nach allen Seiten und schloß sich dann, nicht anders als der Fünfzehnjährige einst, vorsichtig in den verschwiegensten Raum des Hauses ein.

Dort starrte er mit entsetzten Augen lange auf die strenge steile Frauenhandschrift und wog den leichten Brief unablässig in der Hand und wagte es nicht, ihn zu öffnen. Mit immer persönlicherer Aus-

druckskraft blickten ihn die sparsamen Schriftzüge an und erfüllten nach und nach sein ganzes Wesen wie mit einem Herzgift, das den Pulsschlag lähmt. Daß er Veras Handschrift noch einmal werde begegnen müssen, das hätte er selbst in einem lastenden Angsttraum nicht mehr für möglich gehalten. Was war das für ein unbegreiflicher, was für ein unwürdiger Schreck vorhin, als ihn mitten unter seiner gleichgültigen Post plötzlich ihr Brief angestarrt hatte? Es war ein Schreck aus den Anfängen des Lebens ganz und gar. So darf ein Mann nicht erschrecken, der die Höhe erreicht und seine Bahn fast vollendet hat. Zum Glück hatte Amelie nichts davon bemerkt. Warum dieser Schreck, den er noch in allen Gliedern spürte? Es ist doch nichts als eine alte dumme Geschichte, eine platte Jugendeselei, wohl zwanzigfach verjährt. Er hat wahrhaftig mehr auf dem Gewissen als die Sache mit Vera. Als hoher Staatsbeamter ist er täglich gezwungen, Entscheidungen über Menschenschicksale zu treffen, hochnotpeinliche Entscheidungen nicht selten. In seiner Stellung ist man ja ein wenig wie Gott. Man verursacht Schicksale. Man legt sie ad acta. Sie wandern vom Schreibtisch des Lebens ins Archiv des Erledigtseins. Mit der Zeit löst sich, Gott sei Dank, alles klaglos in Nichts auf. Auch Vera schien sich doch schon klaglos in Nichts aufgelöst zu haben . . .
Es mußte fünfzehn Jahre her sein, mindestens, daß

er zum letztenmal einen Brief Veras in der Hand gehalten hatte, so wie jetzt, in einer ähnlichen Situation übrigens und an einem nicht minder kläglichen Örtchen. Damals freilich kannte Amelies Eifersucht keine Grenzen, und ihr mißtrauisches Feingefühl witterte stets eine Fährte. Es blieb ihm nichts übrig, als den Brief zu vernichten. Damals! Daß er ihn ungelesen vernichtete, das allerdings war etwas anderes. Das heißt, es war eine lumpige Feigheit, eine Schweinerei ohnegleichen. Der Götterliebling Leonidas machte sich in diesem Augenblicke nichts vor. Den damaligen Brief habe ich ungelesen zerrissen – und auch den heutigen werde ich ungelesen zerreißen –, einfach, um nichts zu wissen. Wer nichts weiß, ist nicht in Anspruch genommen. Was ich vor fünfzehn Jahren nicht in mein Bewußtsein eingelassen habe, das brauche ich heute doch noch hundertmal weniger einzulassen. Es ist erledigt, ad acta gelegt, nicht mehr da. Ich halte es für ein unbedingtes Gewohnheitsrecht, daß es nicht mehr da ist. Unerhört von dieser Frau, daß sie mir noch einmal ihre Existenz so nah vor Augen führt. Wie mag sie jetzt sein, wie mag sie jetzt aussehen?

Leonidas hatte nicht die geringste Vorstellung davon, wie Vera jetzt aussehen mochte. Schlimmer, er wußte nicht, wie sie ausgesehen hatte, damals, zur Zeit seines einzigen echten Liebesrausches im Leben. Nicht den Blick ihrer Augen konnte er zurückrufen, nicht den Schimmer ihres Haares, nicht ihr Gesicht, ihre Gestalt. Je gesammelter er sich bemühte, ihr sonderbar verlorenes Bild in sich zu beschwören, um so hoffnungsloser wurde die Leere, die sie wie mit spöttischer Absicht in ihm zurückgelassen hatte. Vera war gleichsam die vertrackte Ausfallserscheinung seiner sonst gut gepflegten und kalligraphisch glatten Erinnerung. Zum Teufel, warum wollte sie auf einmal nicht bleiben, was sie fünfzehn Jahre schon war, ein gut eingeebnetes Grab, dessen Stelle man nicht mehr findet.

Mit unverkennbarer Tücke materialisierte die Frau, die ihr Bild dem treulosen Geliebten entzog, ihre Persönlichkeit in den wenigen Worten der Adresse. Sie waren voll schrecklicher Anwesenheit, diese feinen Federstriche. Der Sektionschef begann zu schwitzen. Er hielt den Brief in der Hand wie die Vorladung des Strafgerichts, nein, wie das ausgefertigte Urteil dieses Strafgerichtes selbst. Und plötzlich stand jener Julitag vor fünfzehn Jahren da, hell und blank, in seinen flüchtigsten Einzelheiten.

Ferien! Herrlichster Alpensommer in Sankt Gilgen. Leonidas und Amelie sind noch ziemlich jung verheiratet. Sie wohnen in dem entzückenden kleinen Hotel am Seeufer. Man hat sich heute mit Freunden zu einer gemächlichen Bergpartie verabredet. In wenigen Minuten wird an der Landungsstelle dicht vor dem Hotel das Dampferchen anlegen, das man besteigen muß, um zum Ausgangspunkt des geplanten Spaziergangs zu gelangen. Die Halle des Gasthofs ähnelt einer großen Bauernstube. Durch die gittrigen, von wildem Wein beschatteten Fenster dringt die Sonne nur mit spärlich dickflüssigen Honigtropfen. Der Raum selbst ist dunkel. Es ist aber ein vollgesogenes Dunkel, das die Augen seltsam blendet. Leonidas tritt zur Portiersloge, fordert seine Post. Drei Briefe sind's, darunter jener mit der steilen strengen Frauenschrift in blaßblauer Tinte. Da fühlt Leonidas, daß Amelie hinter ihm steht. Sie legt ihm zutraulich die Hand auf die Schulter. Sie fragt, ob für sie nichts angekommen sei. Wie es ihm gelingt, Veras Brief zu verbergen und in die Tasche zu praktizieren, weiß er selbst nicht. Das ambrafarbige Dunkel hilft ihm. Zum Glück erscheinen jetzt die Freunde, welche man erwartet. Nach der heiteren Begrüßung verschwindet Leonidas unauffällig. Er hat noch fünf Minuten Zeit, den Brief zu lesen. Er liest ihn nicht, sondern dreht ihn uneröffnet hin und her. Vera schreibt ihm nach drei Jahren tödlichen Schweigens. Sie schreibt ihm, nachdem er sich gemeiner, schrecklicher benommen hat als jemals ein Mann zu seiner Geliebten. Zuerst diese niederträchtigste aller feigen Lügen, denn er war doch vor drei Jahren schon verheiratet, ohne es ihr zu gestehn. Und dann der abgefeimte betrügerische Abschied am Waggonfenster: »Leb wohl, mein Leben! Zwei Wochen noch und du bist bei mir!« Mit diesen Worten ist er einfach verschwunden und hat die Existenz von Fräulein Vera Wormser nicht mehr zur Kenntnis genommen. Wenn sie ihm heute schreibt, sie, ein Wesen wie Vera, dann steckt dahinter die furchtbarste Selbstüberwindung. Dieser Brief kann demnach nichts anderes sein als ein Hilferuf in schwerer Bedrängnis. Und das Schlimmste? Vera hat den Brief hier geschrieben. Sie ist in Sankt Gilgen. Auf der Rückseite des Umschlags steht es schwarz auf weiß. Sie wohnt in einer Pension am jenseitigen Seeufer. Leonidas zieht schon ein Taschenmesser, um das Kuvert einfach aufzuschlitzen, eine ebenso lächerliche wie verräterische Pedanterie. Er öffnet aber das Taschenmesser nicht. Wenn er den Brief liest, wenn zur Gewißheit wird, was er nicht einmal zu ahnen wagen darf, dann gibt es kein Zurück mehr. Einige Sekunden lang überlegt er die Möglichkeit und Aussicht einer Beichte. Doch welcher Gott könnte von ihm fordern, daß er seiner blutjungen Frau, einer Amelie Paradini, die ihn fanatisch liebt, die ihn zum Erstaunen aller Welt geheiratet hat, daß er diesem bevorzugten Sondergeschöpf ohne weiteres aus heiterem Himmel gestehe, er habe sie schon nach einem Jahr ihrer Ehe in umsichtigster Weise betrogen. Er würde damit nur seine eigene Existenz und das Leben Amelies zerstören, ohne Vera helfen zu können. Ratlos steht er im engen Raum, während die Sekunden eilen. Ihm wird übel vor seiner eigenen Angst und Niedrigkeit. Der leichte Brief lastet schwer in seiner Hand. Das Papier des Umschlags ist sehr dünn und nicht gefüttert. Undeutlich scheinen die Zeilen durch. Er versucht hier und dort zu entziffern. Vergebens! Eine Hummel surrt durchs offene Fensterchen und ist mit ihm gefangen. Ödigkeit, Trauer, Schuld erfüllen ihn und plötzlich ein heftiger Zorn gegen Vera. Sie schien doch bereits verstanden zu haben. Ein kurzes, verrücktes Glück, von Gnaden des Zufalls und seiner Lüge. Er hat nicht anders gehandelt als ein antiker Gott, der sich in wandelbarer Gestalt zu einem Menschenkinde herabbeugt. Darin liegt doch ein Adel, eine Schönheit. Vera schien es überwunden zu haben, dessen war er ja schon so sicher. *Denn was immer geschehen sein mochte mit ihr,* sie hatte sich in den drei Jahren seit seinem Verschwinden nicht gemeldet, mit keiner Zeile, mit keinem Wort, mit keiner persönlichen Botschaft. Aufs beste überstanden war alles und eingeordnet. Wie hoch hatte er sie ihr angerechnet, diese verständige Einordnung ins Unvermeidbare. Und jetzt, dieser Brief! Nur durch eine Glücksfügung ist er Amelie nicht in die Hände gefallen. Und nicht nur der Brief. Sie selbst ist da, verfolgt ihn, taucht auf hier an diesem Bergsee, wo sich alle Welt zusammenfin-

23

det, jetzt im abscheulich familiären Monat Juli. Ingrimmig denkt Leonidas: Vera ist eben doch nur eine ›intellektuelle Israelitin‹. So hoch diese Menschen sich auch entwickeln können, an irgend etwas hapert's am Ende doch. Zumeist am Takt, an dieser feinen Kunst, dem Nebenmenschen keine seelischen Scherereien zu bereiten. Warum z. B. hatte sich sein Freund und Kommilitone, der ihm jenen erfolgreichen Frack vererbte, um acht Uhr abends, zu einer geselligen Stunde also und noch dazu im Nebenzimmer erschießen müssen? Hätte er das nicht ebensogut woanders tun können oder zu einer Zeit, wo sich Leonidas nicht in der Nähe befand? Aber nein! Jede Handlung, auch die verzweifeltste, muß unterstrichen und in bittere Anführungszeichen gesetzt werden. Immer ein Zuviel oder ein Zuwenig! Ein Beweis für jenen so bezeichnenden Mangel an Takt. Unsagbar taktlos ist es von Vera, im Juli nach Sankt Gilgen zu kommen, wo Leonidas mit Amelie zwei Wochen seines schwerverdienten Urlaubs verbringen will, wie sie gewiß in Erfahrung gebracht hat. Gesetzt den Fall, er begegnet ihr jetzt auf dem Dampferchen, was soll er tun? Er weiß natürlich, was er tun wird: Vera nicht erkennen, nicht grüßen, durch sie achtlos heiter hindurchblicken und mit Amelie und der kleinen Gesellschaft ohne Wimperzucken lachende Konversation machen. Doch wie teuer wird ihm diese empörend brillante Haltung zu stehen kommen! Sie kostet Nervenkraft und Selbstbewußtsein für eine ganze Woche seines allzu kurzen Urlaubs. Der Appetit ist hin. Die nächsten Tage sind vergällt. Und er muß sofort einen einleuchtenden Grund Amelie gegenüber ersinnen, um spätestens morgen Mittag den Aufenthalt in diesem so reizenden Sankt Gilgen abbrechen zu können. Wohin sie sich aber begeben werden, ob nach Tirol, an den Lido oder ans nördliche Meer, überall wird ihn die Möglichkeit verfolgen, die er nicht auszudenken wagt. Das rasche Gefälle dieser Überlegungen hat ihn den Brief in seiner Hand vergessen lassen. Jetzt aber erfaßt ihn eine jähe Neugier. Er möchte wissen, woran er ist. Vielleicht sind jene dämmrigen Ahnungen und Befürchtungen nur Ausgeburten seiner so leicht reizbaren Hypochondrie. Vielleicht wird er erleichtert aufatmen, wenn er den Brief gelesen hat. Die dicke Sommerhummel, seine Mitgefangene, hat endlich den Fensterspalt gefunden und verdröhnt in der Freiheit draußen. Es ist auf einmal schrecklich still in der kläglichen Enge. Leonidas setzt das Taschenmesser an, um den Brief aufzuschneiden. Da tutet das uralte Dampferchen, klein und klapprig, ein Kinderspielzeug aus verschollenen Zeiten. Das Schaufelrad schäumt hörbar das Wasser auf. Nach einer kurzen Regungslosigkeit beginnt das Schattenmuster des Weinlaubs von neuem sein Spiel an der Wand. Keine Zeit mehr! Schon wird Amelie nervös rufen: León! Sein Herz klopft, während er den Brief in kleine Schnitzel zerreißt und verschwinden läßt . . .

Ewige Wiederkehr des gleichen! So etwas also gibt's wahrhaftig, staunte Leonidas. Veras heutiger Brief hatte ihn in dieselbe schmähliche Situation versetzt wie jener vor fünfzehn Jahren. Es war die Ursituation seiner Versündigung an Vera und an Amelie. Alles stimmte aufs Haar überein. Der Postempfang in Gegenwart seiner Frau, damals wie heute. Jetzt erst las er auf der Rückseite des Briefes den Vermerk der Absenderin: ›Dr. Vera Wormser loco‹. Dann folgte der Name des Parkhotels, das in nächster Nähe, zwei Straßen entfernt, lag. Vera also war gekommen, damals wie heute, um ihn zu suchen, um ihn zu stellen. Nur daß statt einer Sommerhummel einige greise Herbstfliegen, asthmatisch summend, seine Gefangenschaft teilten. Leonidas hörte sich, nicht ohne Verwunderung, leise auflachen. Dieser Schreck vorhin, dieses Stillstehen des Herzens war nicht nur unwürdig, er war auch blödsinnig. Hätte er den Brief nicht ruhig vor Amelie zerreißen können, gelesen oder ungelesen?! Eine Belästigung, eine Petition aus dem Publikum, wie hundert andere, weiter nichts. Fünfzehn Jahre, nein, fünfzehn plus drei Jahre! Das sagt sich so einfach. Aber achtzehn Jahre sind eine unausschöpfliche Verwandlung. Sie sind mehr als ein halbes Menschenalter, das die Lebenden beinahe völlig austauscht, ein Zeitozean, der wahrhaftig andere Verbrechen zu Nichts verwässert als eine feige Unanständigkeit in der Liebe. Was war er doch für ein Waschlappen, daß er von dieser mumifizierten Geschichte nicht loskommen konnte, daß er durch sie die schöne Seelenruhe seines Vormittags verlor, er, ein Fünfzigjähriger auf dem Gipfel seiner Laufbahn? Der ganze Unsegen kam von der Halbschlächtigkeit seines Herzens, so stellte er fest. Dieses Herz war einerseits zu weich geraten und andrerseits zu windig. Sein Lebtag litt er daher an einem ›verdorbenen Herzen‹. Diese Formel ging zwar, er empfand es selbst, gegen den guten Geschmack, sie drückte aber seinen unpäßlichen Seelenzustand treffend aus. War die schreckhafte Empfindsamkeit der blaßblauen Frauenschrift gegenüber nicht der Beweis einer skrupelhaft zarten Kavaliersnatur, die einen moralischen Schnitzer auch nach schier unendlicher Zeit nicht verwinden und sich vergeben kann? Leonidas bejahte im Augenblick diese Frage rückhaltlos. Und er belobte sich selbst mit einiger Melancholie, weil er, ein anerkannt schöner und verführerischer Mann, außer der leidenschaftlichen Episode mit Vera nur noch neun bis elf gegenstandslose Seitensprünge in seiner Ehe sich vorzuwerfen hatte.

Er atmete tief auf und lächelte. Jetzt wollte er mit Vera Schluß machen für immer. Fräulein Doktor der Philosophie Vera Wormser, Spezialfach Philosophie. In dieser Berufswahl schon lag ein aufreizender Hang zur Überlegenheit. (Fräulein Doktor? Nein, hoffentlich Frau Doktor. Verheiratet und nicht verwitwet.) Im offenen Fensterchen stand der bauschige Wolkenhimmel. Leonidas riß entschlossen den Brief ein. Der Riß aber war noch nicht zwei Zentimeter tief, als seine Hände innehielten. Und jetzt geschah das Gegenteil von dem, was vor fünfzehn Jahren in Sankt Gilgen geschehen war. Damals wollte er den Brief öffnen und zerriß ihn. Jetzt wollte er den Brief zerreißen und öffnete ihn. Spöttisch sah ihn von dem verletzten Blatt die gesammelte Persönlichkeit der blaßblauen Frauenschrift an, die sich nun in mehreren Zeilen entwickeln konnte.

Oben auf dem Kopf des Briefes stand in raschen und genauen Zügen das Datum: ›Am siebenten Oktober 1936‹. Man merkt die Mathematikerin, urteilte Leonidas, Amelie hat in ihrem ganzen Leben noch nie einen Brief datiert. Und dann las er: ›Sehr geehrter Herr Sektionschef!‹ Gut! Gegen diese dürre Anrede ist nichts einzuwenden. Sie ist vollendet taktvoll, obgleich sich ein schwacher, aber unüberwindlicher Hohn hinter ihr zu verbergen scheint. Jedenfalls läßt dieses ›Sehr geehrter Herr

Sektionschef‹ nichts allzu Nahes befürchten. Lesen wir weiter!

›Ich bin gezwungen, mich heute mit einer Bitte an Sie zu wenden. Es handelt sich dabei nicht um mich selbst, sondern um einen jungen begabten Menschen, der aus den allgemein bekannten Gründen in Deutschland sein Gymnasialstudium nicht fortsetzen darf und es daher in Wien vollenden möchte. Wie ich höre, liegt die Ermöglichung und Erleichterung eines solchen Übertritts in Ihrem speziellen Amtsbereich, sehr geehrter Herr. Da ich hier in meiner ehemaligen Vaterstadt keinen Menschen mehr kenne, halte ich es für meine Pflicht, Sie in diesem, für mich äußerst wichtigen Fall in Anspruch zu nehmen. Sollten Sie bereit sein, meiner Bitte zu willfahren, so genügt es, wenn Sie mich durch Ihr Büro verständigen lassen. Der junge Mann wird Ihnen dann zu gewünschter Zeit seine Aufwartung machen und die notwendige Auskunft geben. Mit verbindlichem Dank. Vera W.‹

Leonidas hatte den Brief zweimal gelesen, vom Anfang bis zum Ende, ohne abzusetzen. Dann steckte er ihn mit vorsichtigen Fingern wieder in die Tasche wie eine Kostbarkeit. Er fühlte sich so schlaff und müde, daß er nicht Kraft genug fand, die Tür aufzusperren und aus seinem Gefängnis zu treten. Wie komisch überflüssig erschien ihm jetzt seine kindliche Flucht in das beklemmende Örtchen. Diesen Brief hätte er keineswegs mit tödlichem Schreck vor Amelie verbergen müssen. Diesen Brief hätte er offen liegen lassen, ja ihr ruhig über den Tisch hinreichen können. Es war der harmloseste Brief der Welt, dieser hinterlistigste Brief der Welt. Dergleichen Bittschriften um Protektion und Intervention bekam er hundert im Monat. Und doch, in diesen knappen und geraden Zeilen lebt eine Ferne, eine Kälte, eine abgezirkelte Besonnenheit, vor der er sich moralisch zusammenschrumpfen fühlte. Vielleicht wird dereinst, wer kann's wissen, vor dem Jüngsten Gericht, ein ähnlich tückisch ausgewogener Schriftsatz auftauchen, der nur für den Gläubiger und den Schuldner, für den Mörder und das Opfer verständlich ist, allen andern aber als geringfügiger Sachverhalt erscheint, durch diese Verhüllung doppelt furchtbar für den Betreffenden. Weiß Gott, was für unseriösen Einfällen und Anwandlungen ein gesetzter Staatsbeamter mitten an einem hellichten Oktobertage erliegen konnte! Woher kam auf einmal das Jüngste Gericht in ein sonst so sauberes Gehirn? Schon kannte Leonidas den Brief auswendig. ›Es liegt in Ihrem speziellen Amtsbereich, sehr geehrter Herr.‹ So ist es, sehr geehrter Herr! ›Ich halte es für meine Pflicht, Sie in diesem für mich äußerst wichtigen Fall in Anspruch zu nehmen.‹ Der trockene Stil einer Eingabe. Und doch ein Satz von marmorner

Wucht und spinnwebzarter Feinheit für den Wissenden, den Schuldigen. ›Der junge Mann wird Ihnen zu gewünschter Stunde seine Aufwartung machen und die notwendige Auskunft geben.‹ Notwendige Auskunft! Diese zwei Worte rissen den Abgrund auf, indem sie ihn verschleierten. Kein Staatsrechtler, kein Kronjurist hätte sich ihrer gnadenlosen Zweideutigkeit zu schämen gehabt.

Leonidas war betäubt. Nach einer Ewigkeit von achtzehn Jahren hatte den allseits Gesicherten die Wahrheit doch eingeholt. Es gab keinen Ausweg mehr für ihn und keinen Rückzug. Er konnte sich der Wahrheit, die er in einer Minute der Schwäche eingelassen hatte, nicht mehr entziehen. Nun war die Welt für ihn von Grund auf verwandelt, und er für die Welt. Die Folgen dieser Verwandlung waren nicht abzusehen, das wußte er, ohne diese Folgen in seinem bedrängten Geist noch ermessen zu können. Ein harmloser Bittbrief! In diesem harmlosen Bittbrief aber hatte Vera ihm kundgetan, daß sie einen erwachsenen Sohn besaß und daß dieser Sohn der seinige war.

Drittes Kapitel

HOHER GERICHTSHOF

Obgleich die Zeit schon vorgerückt war, ging Leonidas die Alleestraße des Hietzinger Viertels viel langsamer entlang als sonst. Er stützte sich, gedankenvoll schreitend, auf seinen Regenschirm, blickte aber zugleich mit aufmerksamen Augen um sich her, um keinen Gruß zu versäumen. Er war recht oft gezwungen, seine Melone zu ziehen, wenn ihn die pensionierten Beamten und kleinen Bürger dieser ehrerbietig konservativen Gegend schwungvoll komplimentierten. Seinen Mantel trug er überm Arm, denn es war unversehens warm geworden.

Seit der kleinen Weile, in der durch Veras Brief sein Leben von Grund auf verwandelt worden war, hatte sich auch das Wetter dieses Oktobertages überraschend verändert. Der Himmel war überall zugewachsen und zeigte keine schamlos nackten Stellen mehr. Die Wolken eilten nicht länger dampfweiß und scharfgerändert, sondern lasteten unbeweglich tief und hatten die Farbe schmutziger Möbelüberzüge. Eine Windstille wie aus dickem Flanell herrschte ringsum. Das Pochen der Motoren, das Kreischen der Elektrischen, der Straßenlärm fern und nah klang wie gepolstert. Jedes Geräusch war aufgetrieben und undeutlich, als erzähle die Welt die Geschichte dieses Tages mit vollem Munde. Ein unnatürlich warmes, ein verschlagenes Wetter, das bei älteren Leuten die Angst vor einem plötzlichen Tode fördert. Es konnte sich zu allem entscheiden: zu Gewitter und Hagelschlag, zu griesgrämigem Landregen oder zu einem faulen Friedensschluß mit der Herbstsonne. Leonidas mißbilligte von ganzem Herzen diese Witterung, die den Atem bedrängte und auf seinen eigenen Gemütszustand zweideutig gemünzt schien.

Die schlimmste Folge der krankhaften Windstille aber bestand darin, daß sie den Sektionschef hinderte, logische Gedanken und Entscheidungen zu fassen. Ihm war's, als arbeite sein akademisch erzogenes Gehirn nicht frei und gelenkig wie sonst, sondern in dicken, unbequemen Wollhandschuhen, mit welchen sich die rasch aufwachsenden Fragen nicht recht anfassen und begreifen ließen.

Er war also Vera erlegen heute. Nach einem achtzehnjährigen stummen Kampf, der sich wie außerhalb des Lebens abgespielt hatte, ohne deshalb weniger tatsächlich zu sein. Ihre Kraft allein hatte ihn gezwungen, den Brief zu lesen, anstatt ihn zu zerreißen und damit der Wahrheit noch einmal zu entkommen. Ob es ein Fehler war, das konnte er jetzt noch nicht wissen, eine Niederlage war's jedenfalls und entscheidender als das, ein jäher Weichenwechsel seines Lebens. Seit einer Viertelstunde lief dieses Leben auf einem neuen Schienenstrang in unbekannter Richtung. Denn seit genau einer Viertelstunde hatte er einen Sohn. Dieser Sohn war ungefähr siebzehn Jahre alt. Das Bewußtsein, des fremden jungen Mannes Vater zu sein, hatte ihn durchaus nicht unerwartet aus dem Hinterhalt des Nichts angetreten. Im Dämmerreiche seines Schuldbewußtseins, seiner Angst und seiner Neugier lebte ja Veras Kind seit dem unbekannten Tage der Geburt ein drohend gespensterhaftes Leben. Nun hatte nach einer schier unendlichen Inkubationsfrist, in der die Furcht fast schon zerronnen war, dieses Gespenst urplötzlich Fleisch und Blut angenommen. Die harmlos tückische Verschleierung der Wahrheit in Veras Brief milderte die Ratlosigkeit des Bestürzten keineswegs. Obwohl er vom Charakter der einst Geliebten nicht das mindeste mehr wußte, so dachte er jetzt mit einem nervösen Verkneifen der Lippen: Das ist echt Vera, diese Kriegslist! Sie bleibt unbestimmt. Bleibt sie nur unbestimmt, um mich nicht zu kompromittieren? Oder läßt sie mir noch eine Hoffnung? Der Brief gibt mir offenbar die Möglichkeit, auch jetzt noch zu entschlüpfen. ›Sollten Sie bereit sein, meiner Bitte zu willfahren . . .‹ Und wenn ich nicht bereit wäre? Mein Gott, das ist es ja! Durch ihre Unbestimmtheit bindet sie mich doppelt. Ich kann nicht länger passiv bleiben. Eben darum, weil sie die Wahrheit nicht schreibt, verifiziert sie die Wahrheit. Dem Sektionschef war im Zusammenhange mit Vera dieser juristische Fachausdruck ›verifizieren‹ wirklich in den Sinn gekommen.

Untreu seinen guten Manieren, blieb er bei einem Übergang mitten auf der Fahrbahn stehen, blies einen stöhnenden Atemzug von sich, nahm die Melone ab und trocknete seine Stirn. Zwei Autos gaben wütend Laut. Ein Schutzmann drohte empört. Leonidas erreichte in verbotenen Sprüngen das andere Ufer. Es war ihm nämlich eingefallen, daß sein neuer Sohn in hohem Maße ein israelitischer Jüngling war. Er durfte also in Deutschland nicht mehr die Schule besuchen. Nun, man lebte hier in der gefährlichsten Nachbarschaft Deutschlands. Niemand wußte, wie sich die Dinge hierzulande entwickeln würden. Es war ein ungleicher Kampf. Von einem Tag zum andern konnten hüben dieselben Gesetze in Kraft treten wie drüben. Schon heutzutage war für einen hohen Staatsbeamten die gesellschaftliche Berührung mit Veras Rasse, von einigen glänzenden Ausnahmen abgesehen, höchst unstatthaft. Die Zeiten lagen sehr fern, in welchen man den Frack eines unglücklichen Kollegen erben durfte, der sich aus keinem triftigeren Grunde erschossen hatte, als weil er des vergötterten Richard

35

Wagner Verdammungsurteil gegen den eigenen Stamm nicht zu ertragen vermochte. Und nun besaß man mit Fünfzig urplötzlich selbst ein Kind dieses Stammes. Eine unglaubliche Wendung! Die Weiterungen waren nicht auszudenken. Amelie? Aber so weit sind wir noch gar nicht, redete Leonidas sich selbst ein.

Immer wieder versuchte er, den Fall, in den er als Verschulder und Opfer gleichermaßen verwickelt war, sich aufs gewissenhafteste ›zurechtzulegen‹. Der geschulte Beamte besitzt ja die Fertigkeit, über jeden Sachverhalt einen ›Akt zu errichten‹ und ihn damit dem Schmelzprozeß des Lebens zu entreißen. Leonidas gelang es kaum, diesen dürren Sachverhalt wieder herzustellen, geschweige auch nur einen Hauch jener sechs Wochen seiner brennenden Liebe. Vera selbst verbat sich's, genau so wie sie ihm ihr Bild entzog. Was übrigblieb, war recht mager. In diesen quälenden Minuten wäre er auch vor Gericht (vor welchem Gericht?) nicht fähig gewesen, ein farbigeres Bild des inkriminierten Vergehens zu malen, als etwa folgendes:

Es geschah im dreizehnten Monat meiner Ehe, hoher Gerichtshof – so hätte das trockene Plädoyer beginnen können –, da erhielt Amelie die Nachricht, daß ihre Großmutter mütterlicherseits schwer erkrankt sei. Diese Großmutter, eine Engländerin, war die wichtigste Persönlichkeit der eingebildeten, snobistischen Millionärsfamilie Paradini. Sie liebte ihre jüngste Enkelin abgöttisch. Amelie war gezwungen, um einen wesentlichen Teil ihres Erbes zu verteidigen, nach Devonshire auf den Landsitz der Sterbenden zu reisen. Intriganten und Erbschleicher waren am Werk. Ich hielt es für unumgänglich notwendig, daß meine Frau der alten Dame in ihren letzten Stunden immer vor Augen blieb. Leider dehnten sich diese letzten Stunden zu vollen drei Monaten aus. Ich glaube ohne nachträgliche Fälschung sagen zu können, daß wir beide, Amelie und ich, über diese erste Trennung unserer Gemeinschaft aufrichtig verzweifelt waren. Um ganz offen zu sein, vielleicht habe ich für meine Person gleichzeitig eine angenehme Spannung empfunden, daß ich nun für eine kurze Dauer wieder frei sein werde und mein eigener Herr. In den Anfängen nämlich war Amelie noch weit anstrengender, launischer, verstimmter, eifersüchtiger als jetzt, wo sie sich trotz ihrer ursprünglichen Unbändigkeit meinem maßvollen Lebensrhythmus anzupassen gelernt hatte. Sie war ja kraft ihres Reichtums die Herrin über mich und hatte es leicht, eine Fee Caprice zu sein. Die brutalen Grundverhältnisse zwischen den Menschen lassen sich auch durch persönliche Kultur, Bildung, Erziehung und ähnliche Luxusgüter nicht umstürzen. Wir feierten jedenfalls auf dem Westbahnhofe einen schweren, tränenvollen Abschied. Zur selben Zeit hatte mein Ministerium den Beschluß gefaßt, mich nach Deutschland zu schicken, damit ich dort die vorbildliche Organisation des Hochschulstudiums aus der Nähe kennenlerne. Aufbau und Verwaltung der Universitäten sind, wie man weiß, mein eigentliches Fach und meine besondere Force. In diesen Belangen habe ich einiges geleistet, was aus der Erziehungsgeschichte meines Vaterlandes nicht leicht wird ausgemerzt werden können. Amelie ihrerseits war recht zufrieden, daß ich für die Zeit unserer Trennung nach Heidelberg gehen würde. Sie hätte überaus darunter gelitten, mich in dem großen verführerischen Wien zurücklassen zu müssen. Die Versuchungen eines hübschen deutschen Universitätsstädtchens erschienen ihr federleicht dagegen. Ich hatte sogar hoch und heilig versprechen müssen, schon am Tage nach ihrer Abreise Wien zu verlassen, um mich unverzüglich meiner neuen Aufgabe zu widmen. Mit Pünktlichkeit hielt ich mein Versprechen, denn ich muß bekennen, daß mir Amelie selbst heute noch eine gewisse Furcht einflößt. Ich habe ihre überlegene Position nicht zu überwinden verstanden. Daß sie sich's in den Kopf gesetzt hatte, den kleinen Konzeptbeamten, der ich damals war, gegen alle Widerstände zu heiraten, das war die Extravaganz einer Sehrverwöhnten, der jeder Wunsch erfüllt werden mußte. Wer hat, dem wird gegeben. Ich bin, das läßt sich nicht bezweifeln, in Amelies Besitz übergegangen. Sehr groß sind die Vorteile, einer unabhängigen steinreichen Frau anzugehören, die aus einem finanziell und gesellschaftlich mächtigen Hause stammt. Die Nachteile sind aber nicht minder groß. Nicht einmal die strenge Gütertrennung, auf der ich von jeher grundsätzlich bestand, kann es verhüten, daß auch ich durch ein den großen Vermögen innewohnendes Naturgesetz eine Art willensbeschränktes Eigentum geworden bin. Vor allem: Wenn ich Amelie verliere, habe ich positiv mehr zu verlieren, als sie zu verlieren hat, wenn sie mich verliert. (Ich glaube übrigens nicht, daß Amelie meinen Verlust überleben könnte.) All diese Gründe haben mich vom ersten Tage an unsicher und ängstlich gemacht. Es bedurfte daher einer unablässigen Selbstbeherrschung und Vorsicht, mir diese demütigenden Schwächen nicht anmerken zu lassen und immer der spielerisch heitere Mann zu bleiben, der seinen Erfolg mit einem lässigen Achselzucken als selbstverständlich hinnimmt. – Vierundzwanzig Stunden nach unserem rührenden Abschied traf ich in Heidelberg ein. Im Portal des dortigen Prachthotels kehrte ich um. Plötzlich widerte mich der üppige Lebensstil an, in den mich meine Ehe versetzt hatte. Es war wie ein Heimweh nach den Bitternissen und der Bedürftigkeit meiner eigenen Lehrzeit. Und dann: Mir war ja die Aufgabe gestellt worden, das Leben und Treiben der hiesigen Studenten zu studieren. Ich mietete mich also in einer engen billigen Studentenpension ein. Schon bei der ersten Mahlzeit am gemeinsamen Tisch sah ich Vera. Ich sah Vera Wormser wieder.

Für alles, was ich nunmehr vorbringen will, hoher Gerichtshof, muß ich um ganz besondere Nachsicht bitten. Es ist nämlich so, daß ich mich an die unter Anklage stehenden Vorgänge nicht eigentlich erinnern kann, obwohl sie mir natürlich als meine eigenen anrüchigen Erlebnisse durchaus bekannt sind. Ich weiß von ihnen ungefähr so, wie man etwas weiß, das man vor langer Zeit irgendwo gelesen hat. Man kann's notdürftig nacherzählen. Es lebt aber nicht im Innern wie die eigene Vergangenheit. Es ist abstrakt und leer. Eine peinliche Leere, vor der jeder Versuch eines gefühlshaften Wiedererlebens zurückscheut. Da ist vor allem meine Geliebte selbst, Fräulein Vera Wormser, Studentin der Philosophie, zu jener Zeit. Ich weiß, daß sie bei unsrer Wiederbegegnung in Heidelberg zweiundzwanzig Jahre alt war, neun Jahre jünger als ich, drei Jahre älter als Amelie. Ich weiß, daß ich niemals eine feinere, zierlichere Erscheinung gekannt habe als Fräulein Wormser. Amelie ist sehr groß und schlank. Sie muß aber um diese Schlankheit unaufhörlich kämpfen, denn von Natur neigt ihre fürstliche Gestalt eher zur Fülle. Ohne daß je eine Bemerkung darüber gefallen wäre, hat es der Instinkt Amelies genau erfaßt, daß mich alles Pompös-Weibliche kalt läßt und daß ich eine unüberwindliche Zuneigung für kindhafte, ätherische, durchsichtige, rührend-zarte, gebrechliche Frauenbilder empfinde, insbesondere dann, wenn sie mit einem besonnenen und unerschrockenen Geiste gepaart sind. Amelie ist dunkelblond, Vera hat nachtschwarze, glatte Haare, in der Mitte gescheitelt, und im ergreifenden Gegensatz dazu, tiefblaue Augen. Ich berichte das, weil ich es weiß, nicht aber, weil ich es vor mir sehe. Ich sehe Fräulein Wormser, die meine Geliebte war, nicht mit meinem inneren Auge. So trägt man das Bewußtsein einer Melodie in sich, ohne sie wiedergeben zu können. Schon seit Jahren kann ich mir die Vera von Heidelberg nicht vorstellen. Immer wieder drängt sich eine andere dazwischen. Die vierzehn- oder fünfzehnjährige Vera, wie ich sie als bettelarmer Student zum erstenmal erblickt habe.

Die Familie Wormser hatte hier in Wien gelebt. Der Vater war ein vielbeschäftigter Arzt, ein kleiner feingliedriger Mann mit einem schwarzgrauen Bärtchen, der wenig sprach, hingegen selbst bei Tische unversehens eine medizinische Zeitschrift oder Broschüre hervorzuholen pflegte, in die er sich versenkte, ohne die anderen zu beachten. Ich lernte in ihm den ›intellektuellen Israeliten‹ par excellence kennen, mit seiner Vergötterung des bedruckten Papiers, mit seinem tiefen Glauben an die voraussetzungslose Wissenschaft, der bei diesen Leuten die natürlichen Instinkte und Gelassenheiten ersetzt. Wie imponierte mir damals jene ungeduldige Strenge, die keine anerkannte Wahrheit unwidersprochen hinnimmt. Ich fühlte mich nichtig und wirr vor dieser zergliedernden Schärfe. Er war Witwer schon die längste Zeit und auf der schwermütigen Grundierung seiner Züge lag unauslöschbar ein spöttisches Lächeln. Die Wirtschaft führte eine ältere Dame, die zugleich das Amt einer Ordinations-Schwester versah. Doktor Wormser, sagte man, war ein Arzt, der so manche Leuchte der Fakultät an Wissen und diagnostischer Treffsicherheit übertraf. Ich war in dieses Haus empfohlen worden, um den siebzehnjährigen Jacques, Veras Bruder, zum Examen vorzubereiten. Jacques hatte durch eine langwierige Krankheit mehrere Monate des Schuljahres versäumt, und nun mußten die Lücken in aller Eile ausgefüllt werden. Er war ein blasser schläfriger Junge, verschlossen gegen mich bis zur Feindseligkeit, und hat mich durch seine Zerstreutheit und seinen inneren Widerstand (heute weiß ich den Grund) oft bis aufs Blut gepeinigt. Er ist dann in den ersten Kriegswochen als Freiwilliger gefallen. Bei Rawaruska. Wie froh aber war ich in jener

härtesten Periode meines Lebens, eine fixe Hauslehrerstelle für längere Zeit gefunden zu haben. Vor
mir lag keine Zukunft. Daß mir schon ein Semester
später der Sprung aus meiner dumpfen Unterwelt in
eine lichte Oberwelt gelingen werde, das hätte auch
eine robustere Natur nicht für erträumbar gehalten.
Ich glaubte schon, das große Los gezogen zu haben,
weil man mich im Hause Wormser, ohne daß es
ausbedungen war, täglich beim Mittagessen dabehielt. Der Doktor kam gewöhnlich gegen ein Uhr
heim. Jacques und ich saßen da noch immer über
den Lehrbüchern. Er rief uns beide zu Tisch, wobei
er meines unseligen Vornamens wegen oft die berühmte Grabschrift des antiken Leonidas und seiner
Helden parodierte:

>Wanderer, kommst du nach Sparta,
verkündige dorten, du habest
hier uns schmausen gesehn, wie
das Gesetz es befahl.«

Ein mäßiger Witz, der mich aber immer wieder
sonderbar beschämte und kränkte. Das Mittagmahl
bei Wormser wurde für mich ein Gewohnheitsrecht. Vera kam fast immer zu spät. Auch sie war
Gymnasiastin wie ihr Bruder. Ihre Schule aber lag
in einem entfernten Bezirk. Sie hatten einen langen
Heimweg. Das Haar trug sie damals noch lang. Es
fiel ihr auf die schwächlichen Schultern. Ihr Ge-

sichtchen, wie aus Mondstein geschnitten, wurde beherrscht von den großen, langbeschatteten Augen, deren irritierendes Blau sich unter die schwarzen Brauen und Wimpern aus einer kühlen Fremde verirrt zu haben schien. Nur selten traf mich ihr Blick, der hochmütigste, ablehnendste Mädchenblick, den ich je zu erdulden hatte. Ich war der Hauslehrer ihres Bruders, ein kleiner Student, käsig, mit Pickeln im Gesicht und stets entzündeten Augen, die bedeutungslose Nichtigkeit und Unsicherheit in Person. Ich übertreibe nicht. Bis zu jenem unglaubwürdigen Wendepunkt meines Lebens war ich ohne Zweifel ein unschöner linkischer Bursche, der sich von jedermann verachtet und von jeder Frau verlacht fühlte. Ich hatte gewissermaßen das äußerste ›Tief‹ meines Daseins erreicht. Niemand hätte einen Groschen für die Laufbahn dieses schäbigen Studenten gegeben. Auch ich nicht. Mein ganzes Selbstvertrauen war erschöpft. Wie sollte ich gerade in diesen unseligen Monaten ahnen, daß ich mich selbst bald werde grenzenlos in Erstaunen setzen? (Alles kam dann wie ohne mein Zutun.) Ich war mit dreiundzwanzig Jahren in meinem Elend eine noch nicht voll entwickelte Lemure. Vera aber, ein Kind, schien weit über ihre Jahre hinaus reif und gefestigt zu sein. Immer, wenn mich bei Tisch ihre Augen streiften, erstarrte ich unter dem arktischen Kältegrad ihrer Gleichgültigkeit. Dann hatte ich den Wunsch, mich in Nichts aufzulösen, damit Vera den unappetitlichsten und unsympathischsten Menschen der Welt nicht länger vor den schönen Augen haben müsse.

Neben Geburt und Tod erlebt der Mensch eine dritte katastrophale Stufe auf seinem Erdenweg. Ich möchte sie die ›soziale Entbindung‹ nennen, ohne mit dieser etwas zu geistreichen Formel ganz einverstanden zu sein. Ich meine den krampfgeschüttelten Übergang von der völligen Geltungslosigkeit des jungen Menschen zu seiner ersten Selbstbestätigung im Rahmen der bestehenden Gesellschaft. Wieviel gehen an dieser Entbindung zugrunde oder nehmen zumindest einen Schaden fürs Leben. Es ist schon eine runde Leistung, fünfzig Jahre alt zu werden, und noch dazu in Ehren und Würden. Mit dreiundzwanzig, ein verspäteter Fall, wünschte ich mir alltäglich den Tod, zumal wenn ich am Familientisch Doktor Wormsers saß. Mit wildem Herzklopfen erwartete ich jedesmal Veras schwebenden Eintritt. Erschien sie in der Tür, so war's für mich eine fürchterliche Wonne, die mir die Kehle zudrückte. Sie küßte den Vater auf die Stirn, gab dem Bruder einen Klaps und reichte mir geistesabwesend die Hand. Dann und wann richtete sie sogar das Wort an mich. Es handelte sich dabei meist um Fragen, die einen der Gegenstände betrafen, die an diesem Tage in ihrer Schule zur Sprache gekommen

waren. Ich versuchte dann mit gieriger Stimme aus-
zupacken und mein Licht leuchten zu lassen. Es
gelang mir niemals. Vera wußte nämlich immer so
zu fragen, als benötige sie keineswegs den unfehlba-
ren Wissensborn, als welchen ich mich dünkte, so
als sei ich der Geprüfte und sie die Prüfende. Nichts
nahm sie auf Treu und Glauben hin. Darin war sie
die echte Tochter des Doktors. Schnitt sie meinen
eitlen Sermon – ihre Augen sahen über mich hinweg
– mit einem unnachsichtigen ›Warum ist das so?‹
plötzlich ab, dann verwirrte mich ihr Wahrheitssinn
bis zur Sprachlosigkeit. Ich selbst hatte niemals
›Warum?‹ gefragt, sondern an der endgültigen Rich-
tigkeit alles Gelehrten nicht im geringsten gezweifelt. Nicht umsonst war ich der Sohn eines Schul-
mannes, der das ›Memorieren‹ des Lehrstoffes für
die beste Methode hielt. Manchmal stellte mir Vera
auch Fallen. In meinem Eifer ging ich in diese
Fallen. Dann lächelte Doktor Wormser müde vor
Ironie oder ironisch vor Müdigkeit, wer konnte es
bei ihm unterscheiden. Veras Intelligenz, ihr kriti-
scher Sinn, ihre Unbestechlichkeit, wurde nur noch
übertroffen von dem unnahbaren Reiz ihrer Erscheinung, der mir immer wieder den Atem ver-
schlug. Hatte ich mir eine Niederlage zugezogen,
dann liebte ich das Mädchen nur um so verzweifel-
ter. Ich durchlebte ein paar Wochen der gräßlich-
sten Sentimentalität. Nachts weinte ich mein Kissen

46

naß. Ich, der ich einige Jahre später die umworbenste Schönheit von Wien mein nennen sollte, ich glaubte während jener unseligen Wochen dieses strengen Schulmädchens Vera niemals würdig werden zu dürfen. Volltrunken von Hoffnungslosigkeit war ich. Zwei Wesenszüge der Angebeteten schleuderten mich stets in den Abgrund meines Unwerts: die Reinheit ihres Sinns und eine süße Fremdartigkeit, die mich verzückte bis an die Grenze des Schauders. Mein einziger Sieg war, daß ich mir nichts anmerken ließ. Ich sah Vera kaum an und befleißigte mich bei Tisch einer starr blasierten Miene. Wie es sentimentalen Pechvögeln zu ergehen pflegt, erging es auch mir. Immer wieder unterlief mir oder beging ich eine Ungeschicklichkeit, die mich lächerlich machte. Ich streifte ein venezianisches Glas zu Boden, das Vera besonders liebte. Ich verschüttete Rotwein über das frische Tischtuch. Ich wies aus purer Verlegenheit und blödem Stolz die Speisen zurück und stand, ohne Aussicht auf ein Abendessen, so hungrig auf, wie ich mich hingesetzt hatte; eine sinnlose, aber heldenhafte Entsagung, die auf Vera nicht den mindesten Eindruck machte. Einmal brachte ich – meine Zimmermiete mußte ich deshalb schuldig bleiben – die schönsten langstieligen Rosen mit, hatte aber den Mut nicht, sie Vera zu überreichen, sondern steckte sie gleich im Vorraum hinter einen Schrank, wo sie ruhmlos

47

verkamen. Kurz, ich benahm mich wie der schüchterne Liebhaber des älteren Lustspiels, nur noch verbohrter und vertrackter. Ein andermal, als wir schon beim Dessert saßen, spürte ich, wie meine allzu enge Hose an der bedenklichsten Stelle mitten durchplatzte. Mein ausgewachsener Rock bedeckte diese Stelle nicht. Wie sollte ich mich, heiliger Himmel, nach Tisch unentlarvt an Vera vorbei retten? Mein Selbstbewußtsein hat früher oder später niemals wieder eine solche Hölle erlebt wie in diesen Minuten.

Man sieht, hohes Gericht, wie meine Erinnerung flüssig wird, wenn ich sie auf das Haus Wormser und die Zeit meiner ersten und letzten unglücklichen Liebe richte. Ich könnte nichts einwenden gegen die Vermahnung: Bleiben Sie bei der Sache, Angeklagter. Wir sind keine Seelenärzte, sondern Richter. Warum behelligen Sie uns mit den Herzenswallungen eines Jünglings, der sehr verspäteter Weise die Nachwirkungen der Geschlechtsreife noch nicht überwunden hatte? Ihre Schüchternheit haben Sie mittlerweile gründlich abgelegt, das werden Sie zugeben. Als Sie den Frack des Selbstmörders erbten und im Spiegel erkannten, daß er Ihnen gut stand und Sie zu einem wohlaussehenden jungen Mann machte, da waren Sie mit einem Schlage ein anderer, das heißt, Sie waren Sie selbst. Wen also wollen Sie mit jenen langweiligen Geschichten rühren? Sehen Sie etwa in der kindischen Schwärmerei, die Sie vor uns ausbreiten, eine Ausrede für Ihr nachfolgendes Verhalten? – Ich suche keine Ausrede, hoher Gerichtshof. – Es ist festzustellen, daß Sie während Ihres Dienstes im Hause Wormser der Vierzehn- oder Fünfzehnjährigen Ihre Gefühle mit keiner Miene zur Kenntnis brachten. – Mit keiner Miene. – Fahren Sie demnach fort, Angeklagter! Sie hatten sich zu Heidelberg in einer Studentenpension eingemietet, wo Sie Ihrem Opfer wieder begegneten. – Jawohl, ich hatte mich in dieser kleinen Pension eingemietet und begegnete nach vollen sieben Jahren gleich bei der ersten Mahlzeit Vera Wormser. Nachdem Jacques dank meiner Hilfe das Abiturientenexamen bestanden, war die Familie nach Deutschland gezogen. Man hatte Wormser die Leitung eines privaten Krankenhauses in Frankfurt angeboten, und er war diesem Rufe gefolgt. Als ich Vera aber wiedersah, lebte weder ihr Vater noch ihr Bruder mehr. Sie stand vollkommen allein im Leben, behauptete jedoch, sich weniger verlassen als frei und selbständig zu fühlen. Der Zufall hatte es gewollt, daß ich am langen Tisch meinen Platz neben dem ihren hatte . . .

Ich unterbreche mich, hoher Gerichtshof, weil ich selbst bemerke, daß meine Ausdrucksweise immer stockender und hölzerner wird. Je mehr ich mich sammeln will, desto peinlicher versagt meine Vorstellungsgabe. Ich nähere mich dem Tabu, dem verbotenen Raum meiner Erinnerung. Da ist zum Beispiel gleich jener Streit, der schon bei der ersten Mahlzeit entbrannte. Ich weiß, daß ein Streit um irgendeinen wissenschaftlichen Gegenstand ausbrach, der damals gerade die Mode beschäftigte. Ich weiß auch, daß Vera meine heftigste Gegnerin war. Trotz meines sonst höchst verläßlichen Gedächtnisses aber weiß ich vom Inhalt dieses Streites nichts mehr. Ich nehme an, daß ich gegen Veras zersetzende Kritik die Sache der Konvention vertrat und mir damit den Beifall der Mehrzahl sicherte. Ja, wahrhaftig, diesmal erlitt ich keine Niederlage mehr wie einst an des guten Doktors Familientisch. Ich war einunddreißig Jahre alt, Abgesandter eines Ministeriums, glänzend angezogen, man hatte mich heute schon in Gesellschaft Seiner Magnifizenz, des Herrn Rektors gesehen, ich besaß Geld in Hülle und Fülle, lebte also innerlich und äußerlich im Stande einer großartigen Überlegenheit über all dieses junge Volk, dem auch Vera angehörte. Ich hatte in den letzten Jahren außerordentlich viel gelernt, ich hatte meinen Vorgesetzten die Gebärde des liebenswürdig verbindlichen Rechthabens und Machthabens abgelauscht, die eine weise Besonderheit unsrer altösterreichischen Beamtentradition ist. Ich verstand zu reden. Mehr, ich verstand mit sicherer Gelassenheit so zu reden, daß alle anderen schwiegen. Ich war mit vielen Persönlichkeiten von Rang in nähere Berührung gekommen, deren Ansicht und Meinungen ich zur Unterstützung meiner Ansicht nun leichthin ins Treffen führen durfte. Ich kannte somit nicht nur die Elite, ich war selbst ein Teil von ihr. Vor seiner ›sozialen Entbindung‹ überschätzt der junge bürgerliche Mensch die Schwierigkeit des Sprunges in die Welt. Ich persönlich zum Beispiel verdankte meine erstaunliche Karriere durchaus keinen überragenden Eigenschaften, sondern drei musikalischen Talenten: dem feinen Gehör für die menschlichen Eitelkeiten, meinem Taktgefühl und – dies ist das wichtigste der drei Talente – der schmiegsamsten Nachahmungskunst, deren Wurzel freilich in der Schwäche meines Charakters liegt. Wäre ich sonst, ohne eine Ahnung auch nur vom Wechselschritt zu haben, einer der beliebtesten Walzertänzer in meinen jungen Tagen geworden? Als ein großer Herr trat nun der lächerliche Hauslehrer der ehemals Angebeteten entgegen. Ich glaube zu wissen, daß Vera nach einer anfänglichen Mißbilligung mich immer erstaunter betrachtete, mit immer größeren, immer blaueren Augen. Daß aber meine alte Verliebtheit mit einem Schlag neu erweckt wurde, das glaube ich nicht nur zu wissen, das weiß ich. Das Spiel mit Menschen, mit Mann und Frau, hatte ich inzwischen gelernt. Es war aber nicht nur ein frevelhaftes Spiel, es war ein toller

Zwang, Schritt für Schritt, einer Schuld entgegen, die von Anfang an feststand. Ich glaube zu wissen, daß ich mich gut beherrschte, daß ich nichts von meiner Entflammtheit zeigte, nicht aus kläglichem Stolz wie einst, sondern aus genußvoller Zielstrebigkeit. Genau überlegte ich, wie ich mich täglich besser zur Geltung bringen könnte, sowohl in meinem soignierten Äußeren als auch im Geiste. Mehr als durch die wohlbedachten kleinen Aufmerksamkeiten, die ich ihr erwies, gewann ich Vera dadurch, daß ich ihr zu verstehen gab, ich teile im Herzen ihre unbekümmert radikalen Anschauungen, und nur meine hohe Stellung und die Staatsräson zwinge mich zur Einhaltung einer ›mittleren Linie‹. Ich glaube, sie wurde rot vor Freude, als sie sicher war, mich von den ›Lügen der Konvention‹ geheilt zu haben. So wartete ich vorsichtig auf den rechten Augenblick. Auf den Augenblick, wo man es gewissermaßen im Gefühl hat. Er kam rascher, als ich zu hoffen wagte. Es war der vierte oder fünfte Tag meines Aufenthaltes, an dem Vera sich mir ergab. Ich sehe ihr Gesicht nicht, aber ich fühle die starre Verwunderung, die sie erfüllte, ehe sie ganz und gar mein wurde. Ich sehe den Ort nicht, wo es geschah. Alles ist schwarz. War es ein Zimmer? Bewegten sich Zweige unterm nächtigen Himmel? Ich sehe nichts, aber das Gefühl des herrlichen Augenblicks trage ich in mir. Das war nicht Amelies herrisch fordernde Heftigkeit. Das war ein erschrockener Starrkrampf zuerst und dann dieses atmende Erschlaffen des weichen Mundes, das träumerische Nachgeben der kindlichen Glieder, die ich in Armen hielt, ein scheues Näherstreben später, ein sanftes Zutrauen, eine Fülle des Glaubens. Niemand konnte so unbedingt, so einfältig glauben, wie diese scharfe Kritikerin. Entgegen Veras freien Reden und oft burschikosem Gehaben, durfte ich in diesem Augenblicke erkennen, daß ich der Erste war. Ich hatte bis zur Stunde nicht geahnt, daß die Jungfräulichkeit, von Herbheit und Schmerz verteidigt, etwas Heiliges ist . . .

Hier muß ich haltmachen, hoher Gerichtshof. Jeder Schritt weiter verstrickt mich in einen Urwald. Obwohl ich ihn damals bewußt und mit arger Absichtlichkeit durchdrungen habe, so finde ich jetzt den Eingang nicht mehr. Ja, unsere Liebe war eine Art Urwald. Wo bin ich überall mit meiner Geliebten gewesen zu jener Zeit? In wievielen giebligen Städtchen und Ortschaften des Taunus, des Schwarzwalds, des Rheinlands, in wievielen Gaststuben, Weinlauben, Wirtsgärten und gewölbten Kammern? Ich hab's verloren. Alles bleibt leer. Doch nicht danach geht die Frage des Gerichts. Man fragt mich: Bekennen Sie sich schuldig? Ich bekenne mich schuldig. Nicht aber liegt meine Schuld in der einfachen Tatsache der Verführung. Ich habe ein

Mädchen genommen, das bereit war, genommen zu werden. Meine Schuld war, daß ich sie mala fide so restlos zu meinem Weibe gemacht habe, wie keine andere Frau jemals, auch Amelie nicht. Die sechs unzugänglichen Wochen mit Vera bedeuten die wahre Ehe meines Lebens. Ich habe der großen Zweiflerin jenen ungeheuren Glauben an mich eingepflanzt, nur um ihn zuschanden werden zu lassen. Das ist mein Verbrechen. Entschuldigen Sie, bitte! Ich merke, daß dieses hohe Gericht die großen Worte nicht schätzt. Ich habe gehandelt wie ein ›Kavalier mit Strupfen‹, wie ein ganz gewöhnlicher Heiratsschwindler. Es begann sehr stilvoll mit der trivialsten aller Gesten. Ich verbarg meinen Ehering. Die erste Lüge zog mit exakter Notwendigkeit die zweite nach und die hundert nächsten. Nun aber kommt erst die Würze meiner Schuld. All jene Lügen und die reine Gläubigkeit der Belogenen verschärften meine Wollust in unvorstellbarer Weise. Ich baute vor Vera mit dem eindringlichsten Eifer unsre gemeinsame Zukunft auf. Ich entwickelte eine fugenlose Gründlichkeit meiner häuslichen Vorsorge, die sie hinriß. Nichts wurde in meinen Plänen vernachlässigt, nicht die Einteilung, die Einrichtung unsrer künftigen Wohnung, nicht die Wahl des Stadtbezirkes, der für uns am vorteilhaftesten gelegen sein mochte, nicht die Wahl der Menschen, die ich für würdig erachtete, mit ihr zu

verkehren; die stärksten Geister und unzugänglich-
sten Frondeure befanden sich darunter, selbstverständlich. Meine Phantasie überbot sich selbst. Da
blieb nichts unbedacht. Ich entwarf den täglichen
Stundenplan unsres glückstrahlenden Ehelebens bis
in die kleinste Kleinigkeit. Vera würde ihr Studium
in Heidelberg abbrechen und in Wien an meiner
Seite vollenden. In der Stadt Frankfurt gingen wir in
die schönsten Geschäfte. Ich begann für unsre
Haushaltung Einkäufe zu machen, und zwar, um
jene Wollust zu erhöhen, erwarb ich darunter allerlei Gegenstände der Intimität und engsten Lebens-
nähe. Ich überhäufte sie mit Gaben, um ihren Glauben noch weiter zu erhöhen. Trotz ihrer wilden
Proteste kaufte ich so eine ganze Aussteuer zusammen. Das einzige Mal in meinem Leben war ich
verschwenderisch. Das Geld ging mir aus. Ich ließ
mir eine große Summe telegraphisch nachsenden.
Den ganzen Tag wühlte ich mit Fanatismus in
Damast, Leinen, Seide, Spitzen, in Bergen von flor-
zarten Damenstrümpfen. Welch ein unbeschreiblicher Kitzel für mich, als in Vera das Eis der Intelligenz schmolz und das entzückte Weibchen hervor-
trat, in seiner ganzen holden Fremdartigkeit und
mit der bedingungslosen Hingabe an den Mann, die
diesem Stamme eignet. Ich sehe sie nicht, hoher
Gerichtshof, aber ich fühle, wie wir durch die Straßen gehen, Hand in Hand, die Finger ineinander

verschränkt. Wie fühle ich die Melodie des einver-
standenen Schrittes neben mir! Nichts Schöneres
habe ich erlebt als dieses Hand in Hand und Schritt
bei Schritt. Doch während ich es voll erlebte, genoß
ich zugleich mit einem tiefen Schauder den mörde-
rischen Tod, den ich unsrer Gemeinschaft zu bereiten im Begriffe stand. Und dann kam eines Tages
der Abschied. Für Vera war's ein froher Abschied,
denn ich sollte sie ja nach kurzer Trennung für
immer zu mir nehmen. Ich sehe ihr Gesicht unter
meinem Waggonfenster nicht. Es muß mich angelä-
chelt haben aus der Fülle seines ruhigen Glaubens.
»Leb wohl, mein Leben«, sagte ich. »Noch vierzehn
Tage und ich hole dich ab.« Als ich aber dann allein
in meinem Abteil saß, zusammengesunken nach so
vielen Wochen der Spannung, da verfiel ich in eine
Art narkotischen Schlafs. Ich schlief stundenlang,
unerweckbar, und versäumte es, in einer großen
Station den Zug zu wechseln. Nach einer sinnlosen
Reise gelangte ich nachts in eine Stadt, die Apolda
hieß. Das weiß ich. Vera sehe ich nicht mehr, doch
ich sehe deutlich die traurige Bahnhofswirtschaft,
wo ich den Morgen erwarten mußte . . .
So hätte Leonidas sprechen müssen. So hätte er
auch vor jedem Gericht in zusammenhängender
Darstellung sprechen können, denn jedes Steinchen
dieses Mosaiks war in seinem Bewußtsein vorhan-
den. Das Gefühl seiner Liebe und Schuld war da,

nur die Bilder und Szenen entwichen, wenn er nach ihnen haschte. Und vor allem, die Empfindung eines unerwarteten Prozesses gab ihn nicht frei. Das Wetter aber, diese schreckliche Windstille, als deren innerster Mittelpunkt er durch die Straßen zu gehen meinte, machte jeden Versuch des ›Zurechtlegens‹ immer wieder zunichte. Immer stumpfer und wohliger empfand er den Griff seiner Gedanken. War's nicht höchste Zeit, eine Entscheidung zu treffen? Stand das Urteil des hohen Gerichtshofes nicht schon fest, der mit bürokratischer Hartnäckigkeit irgendwo in ihm und außer ihm tagte? ›Wiedergutmachung der Schuld an dem Kinde‹, so lautete Artikel 1 dieses Urteils. Und strenger noch Artikel 2 ›Wiederherstellung der Wahrheit‹. Durfte er aber Amelie die Wahrheit sagen? Diese Wahrheit würde seine Ehe zerschlagen für immer. Trotz der verflossenen achtzehn Jahre könnte ein Wesen wie Amelie seinen Betrug und mehr noch, seine lebenslängliche Lüge nicht verzeihen und nicht überwinden. Er hing in diesen Minuten an seiner Frau mehr als je. Ihm wurde schwach. Warum hatte er Veras verfluchten Brief nicht zerrissen?!

Leonidas hob die Augen. Er ging soeben an der Sitrnseite des Hietzingers Parkhotels vorbei, wo Fräulein Doktor Wormser wohnte. Freundlich grüßten die Balkonreihen, an denen sich der wilde Wein mit seinen hundert rötlichen Tönungen dahinrankte. Es mußte ein reizender Aufenthalt hier sein, jetzt im Oktober. Die Fenster gingen auf den Schönbrunner Park hinaus, rechts auf den Tiergarten, links auf das sogenannte ›Kavaliersstöckl‹ des ehemalig kaiserlichen Schlosses. Vor dem Eingang des Hotels hielt er seinen Schritt an. Es mochte ungefähr zehn Uhr sein. Wahrhaftig keine Stunde, in der ein wohlerzogener Mann einer beinahe fremden Dame seinen Besuch abstatten darf . . . Hinein! Sich anmelden lassen! Ohne lange Überlegung eine Lösung improvisieren! Aus dem Portal trat ein Herr der Direktion, der den Sektionschef ehrfürchtig grüßte. Himmel Herrgott, kann man nirgends mehr vorüberschleichen, ohne ertappt zu werden?

Leonidas floh hinüber in den Schloßpark. Ihm war's gleichgültig jetzt, daß er sich heute gegen seine sonstige Art verspätete und der Minister schon nach ihm gefragt haben mochte. Endlos schwang sich die Allee zwischen barock geschnittenen Taxusmauern in eine verzeichnete Ferne. Dort irgendwo im dunstig Leeren hing die ›Gloriette‹, ein baulicher Astralleib, das Gespenst eines triumphierenden Jubeltors, das ohne Zusammenhang mit der entzauberten Erde in den wohlgeordneten Himmel des Ancien régime zu führen schien. Es roch nach vielfältiger Abgeblühtheit, nach allem Staub und nach Säuglingswindeln ringsum. Lange Kolonnen

von Kinderwagen wurden an Leonidas vorbeigeschoben. Mütter und Bonnen führten die Drei- und
Vierjährigen an der Hand, deren plapperndes grei-
nendes Auf und Ab die Luft erfüllte. Leonidas sah,
daß in den Kinderwagen ein Säugling dem andern
zum Verwechseln glich, mit seinen geballten Fäustchen, den aufgeworfenen Lippen und dem tiefbe-
schäftigten Kindheitsschlaf.

Nach hundert Schritten fiel er auf eine Bank. In
diesem Augenblick arbeitete sich eine Strahlenspur
Oktobersonne durch und besprengte den Rasen
gegenüber mit einem dünnen Schauer. Vielleicht
überschätzte er diese ganze Geschichte. Am Ende
war Veras junger Mann gar nicht sein Sohn. Pater
semper incertus, so erklärt schon das römische
Recht. Die Verifizierung seines Sohnes hing schließlich nicht von Vera allein, sondern auch von ihm ab.
Diese Vaterschaft konnte vor jedem Gericht bestrit-
ten werden. Leonidas wandte den Blick seinem
Nachbarn auf der Bank zu. Dieser Nachbar war ein
schlafender alter Herr. Es war eigentlich kein alter
Herr, sondern nur ein alter Mann. Die räudige
Melone und ein vorsintflutlich hoher Stehkragen
deuteten auf eines jener Zeitopfer hin, das bessere
Tage gesehen hatte, wie die mitleidslose Phrase
lautete. Es konnte aber auch ein seit Jahren stel-
lungsloser Kammerdiener sein. Die knotigen Hände

des alten Mannes lagen schwer wie Vorwürfe auf den eingeschrumpften Schenkeln. Noch nie hatte Leonidas einen Schlaf gesehen wie diesen, den sein Nachbar schlief. Der Mund mit den tristen Zahnlücken stand ein wenig offen, aber man merkte die Regung des Atems nicht. Überall liefen in diesem brachen Gesicht die tiefen Runzeln und Falten konzentrisch auf die Augen zu. Es waren Saumpfade, Karrenwege, Zufahrt-Straßen des Lebens, verschüttet insgesamt und zugewachsen in einem verlassenen Land. Nichts bewegte sich dort. Die wie nach innen gestülpten Augen aber bildeten zwei beschattete Sandgruben, in denen alles zu Ende war. Vom Tode unterschied sich dieser Schlaf unvorteilhaft dadurch, daß er noch einen Rest von Krampf und Angst bewahrte und eine schwache Abwehr unbeschreiblich ...

Leonidas sprang auf, ging die Allee zurück. Schon nach wenigen Schritten torkelte und murmelte es hinter ihm:

»Herr Baron, ich bitt' gehorsamst, seit drei Tagen hab ich nichts Warmes im Leib ...«

»Wie alt sind Sie?« fragte der Sektionschef den Schläfer, dessen Augen auch im Wachen zwei leere unfruchtbare Gruben zu sein schienen.

»Einundfünfzig Jahre, Herr Graf«, klagte der Greis, als verrate er ein bereits ganz und gar unzulässiges Alter, das von Rechts wegen auf Unterstützung nicht mehr zu rechnen hat. Leonidas riß einen größeren Geldschein aus seiner Brieftasche, reichte ihn dem Gestrandeten und blickte sich nicht mehr um.

Einundfünfzig Jahre! Er hatte sich nicht verhört. Soeben war er seinem Doppelgänger begegnet, seinem Zwillingsbruder, der andern Möglichkeit seines Lebens, der er nur um Haaresbreite entgangen war. Vor fünfzig Jahren hatte man den greisen Schläfer und ihn, als Säuglinge zum Verwechseln ähnlich, durch eine Parkallee geschoben. Er war aber noch immer der schöne León, geschniegelt und gebügelt, mit seinem blonden Schnurrbärtchen, tadellos gebadet, ein Vorbild männlicher Frische und straffer Wohlgestalt. Auf seinem glatten Gesicht waren die Zufahrt-Straßen des Lebens nicht verschüttet, nicht leer, sondern heiter befahren. Da eilten alle Sorten des Lächelns dahin, der Liebenswürdigkeit, des Spottes, der guten und bösen Laune, die Lüge in allen Ausführungen. Er schlief keinen flüchtigen agonischen Schlaf auf der Parkbank, sondern den gesunden, runden, regelmäßigen Schlaf der Geborgenheit in seinem großen französischen Bett. Welche Hand hatte ihn, den Hauslehrer bei Wormsers, diesen Jämmerling mit der geplatzten Hose, dem sicheren Rachen des Untergangs entführt, um den andern Kandidaten hineinzustoßen? Er hielt sein Glück, seinen Aufstieg nicht mehr wie sonst für das persönlich verdienstvolle Zusammenspiel gewisser Talente. Das Gesicht des gleichaltrigen Wracks hatte ihm den Abgrund gezeigt, der ihm nicht minder zugedacht gewesen als jenem und durch dieselbe unergründbare Ungerechtigkeit ihm selbst erspart geblieben war.

Ein schwarzes Grauen wandelte Leonidas an. In diesem Grauen aber steckte ein verwischter heller Fleck. Der helle Fleck wuchs. Er wuchs zu einer Erkenntnis, dergleichen den mäßig gläubigen Mann noch nie eine beschlichen hatte: Ein Kind haben, das ist keine geringe Sache. Erst durch ein Kind ist der Mensch unrettbar in die Welt verflochten, in die gnadenlose Kette der Verursachungen und Folgen. Man ist haftbar. Man gibt nicht nur das Leben weiter, sondern den Tod, die Lüge, den Schmerz, die Schuld. Die Schuld vor allem! Ob ich mich zu dem jungen Mann bekenne oder nicht, ich ändre den objektiven Tatbestand nicht. Ich kann mich vor ihm drücken. Aber ich kann ihm nicht entkommen.

»Es muß sofort etwas geschehen«, flüsterte Leonidas geistesabwesend, während ihn eine unausdrückbar bestürzende Klarheit erfüllte.

Er winkte am Parktor ungeduldig ein Taxi herbei: »Ministerium für Unterricht!«

Während in ihm ein mutiger Entschluß wuchs, starrte er wie blind in den nur wenig erleichterten Tag.

Viertes Kapitel

LEONIDAS WIRKT FÜR SEINEN SOHN

Sogleich beim Eintritt in sein Büro erhielt Leonidas die Meldung, daß ihn der Herr Minister zehn Minuten nach elf Uhr im roten Salon erwarte. Der Sektionschef sah den Sekretär, der ihm diese Meldung überbrachte, sinnverloren an und gab keine Antwort. Nach einer kleinen, verwunderlichen Pause legte der junge Beamte mit behutsamem Nachdruck eine Mappe auf den Schreibtisch. Es werde sich bei der anberaumten Sitzung – so meinte er mit gebührender Bescheidenheit – voraussichtlich um die Neubesetzung der vakanten Lehrstühle an den Hochschulen handeln. In dieser Mappe finde der Herr Sektionschef das ganze Material in gewohnter Ordnung.

»Ergebensten Dank, mein Lieber«, sagte Leonidas, ohne die Mappe eines Blickes zu würdigen. Zögernd verschwand der Sekretär. Er hatte erwartet, sein Chef werde wie sonst in seiner Gegenwart das Dossier durchblättern, gewisse Fragen stellen und Notizen machen, um nicht unvorbereitet beim Minister zum Vortrag zu erscheinen. Leonidas aber dachte heute nicht daran.

Gleich den anderen höchsten Beamten des Staates hegte der Sektionschef keine besondere Hochachtung für die Herren Minister. Diese wechselten nämlich je nach Maßgabe des politischen Kräftespiels, er aber und seine Kollegen blieben. Die Minister wurden von den Parteien empor- und wieder davongespült, luftschnappende Schwimmer zumeist, die sich verzweifelt an die Planken der Macht klammerten. Sie besaßen keinen rechten Einblick in die Labyrinthe des Geschäftsganges, keinen Feinsinn für die heiligen Spielregeln des bürokratischen Selbstzwecks. Sie waren nur allzuhäufig wohlfeile Simplisten, die nichts andres gelernt hatten, als in Massenversammlungen ihre ordinären Stimmen anzustrengen und durch die Hintertüren der Ämter lästige Interventionen für ihre Parteigenossen und deren Familienanhang auszuüben. Leonidas aber und seinesgleichen hatten das Regieren gelernt wie Musiker den Kontrapunkt lernen in jahrelang unablässiger Übung. Sie besaßen ein nervöses Fingerspitzengefühl für die tausend Nüancen des Verwaltens und Entscheidens. Die Minister spielten (in ihren Augen) nur die Rolle politischer Hampelmänner, mochten sie dem Zeitstil gemäß auch noch so diktatorisch einhertreten. Sie aber, die Ressortchefs, warfen ihren unbeweglichen Schatten über diese Tyrannen. Welches Partei-Spülicht auch die Ämter überschwemmte, sie hielten die Fäden in der Hand. Man brauchte sie. Mit dem preziösen Hochmut von Mandarinen blieben sie bescheiden im Hintergrund. Sie verachteten die Öffentlichkeit, die Zeitung, die persönliche Reklame jener Tageshelden – und Leonidas noch mehr als alle andern, denn er war reich und unabhängig.

Er schob die Mappe weit von sich, sprang auf und begann in seinem großen Arbeitszimmer mit starken Schritten hin- und herzugehen. Welche Kräfte strömten doch von diesem sachlichen Raum auf seine Seele über! Hier war sein Reich, hier und nicht in Amelies luxuriösem Haus. Der mächtige Schreibtisch mit seiner vornehmen Leere, die beiden roten Klubfauteuils mit ihrem verwetzten Leder, das Bücherbord, wo er die griechisch-römischen Klassiker und die philologischen Zeitschriften seines Vaters eingestellt hatte, Gott weiß warum, die Aktenschränke, die hohen Fenster, der Kaminsims mit der vergoldeten Stehuhr aus der Kongreßzeit, an der Wand die völlig nachgedunkelten Bilder irgendwelcher verschollener Erzherzöge und Minister – all diese abgenützten, persönlichkeitslosen Gegenstände aus dem ›Hofmobiliendepot‹ waren wie Stützen, die seinen wankenden Gefühlen Halt verliehen. Er atmete sich voll mit der schlecht abgestaubten Würde dieses Raums. Sein Entschluß war unwiderruflich gefaßt. Noch heute wollte er seiner Frau die volle Wahrheit bekennen. Ja! Bei Tisch! Am besten während des süßen Gangs oder zum schwarzen Kaffee. Wie ein Politiker, der eine Rede vorbereitet, hörte er sich mit seinem inneren Ohr:

– Wenn es dir recht ist, lieber Schatz, so bleiben wir noch einen Augenblick sitzen. Erschrick nicht, ich habe etwas auf dem Herzen, das mich seit vielen, vielen Jahren bedrückt. Bis zum heutigen Tage hab ich einfach nicht den Mut gehabt, du kennst mich ja, Amelie, ich ertrage alles, nur keine Katastrophen, keine Gefühlsstürme und Szenen, ich kann's nicht ertragen, dich leiden zu sehn . . . Ich liebe dich heute wie ich dich immer geliebt hab, und ich habe dich immer geliebt wie ich dich heute liebe. Unsre Ehe ist das Heiligtum meines Lebens, du weißt, daß ich ungern pathetisch werde. Ich hoffe, daß ich mir in meiner Liebe nur wenig habe zuschulden kommen lassen. Das heißt, diese eine, einzige, sehr große Schuld ist da. Es steht bei dir, mich zu strafen, mich sehr hart zu strafen. Ich bin auf alles gefaßt, liebste Amelie, ich werde mich deinem Urteil bedingungslos beugen, ich werde auch unser, das heißt dein Haus verlassen, wenn du es befiehlst, und mir irgendwo in deiner Nähe eine ganz kleine Wohnung suchen. Aber bedenke doch, ehe du urteilst, ich bitte dich, daß meine Schuld mindestens achtzehn Jahre zurückliegt und daß keine Zelle unsres Körpers, keine Regung unsrer Seele mehr dieselbe ist wie damals. Ich will nichts schönfärben, aber ich weiß es heute, daß ich während unsrer unseligen Trennung dich nicht so sehr betrogen wie unter einem Teufelszwang gehandelt habe. Glaub es mir! Ist unsre so lange glückliche Ehe nicht der lebendige Beweis? Weißt du, daß wir in fünf, sechs Jahren, wenn du es willst, die silberne Hochzeit feiern werden? Leider Gottes aber hat meine unbegreifliche Verirrung Folgen gehabt. Es ist ein Kind da, das heißt ein junger Mann von siebzehn Jahren. Erst heute habe ich's erfahren. Ich schwöre dir. Bitte kein unüberlegtes Wort jetzt, Amelie, keine voreiligen, zornigen Entscheidungen. Ich gehe jetzt aus dem Zimmer. Ich lasse dich allein. Damit du ruhig nachdenken kannst. Was du auch über mich beschließen wirst, ich werde mich dieses jungen Mannes annehmen müssen. –

Das ist nichts! Das ist weichlich und jämmerlich! Ich muß sparsamer reden, kantiger, männlicher, ohne Umschweife und Hinterhalte, nicht so feig, so bettelhaft, so sentimental. Immer wieder kommt bei mir diese alte ekelhafte Sentimentalität an die Oberfläche. Amelie darf keinen Augenblick Glaubens sein, sie könne mich durch Verbannung am härtesten strafen und ich sei in meiner Verwöhntheit, Bequemlichkeit, Verweichlichung rettungslos abhängig von ihrem Gelde. Sie darf sich um Himmels willen nicht einbilden, ich würde mich ohne unser Haus, unsre beiden Wagen, unsre Dienerschaft, unsre zarte Küche, unsre Geselligkeit, unsre Reisen ganz und gar verloren fühlen, obwohl ich mich wahrscheinlich ohne diesen verflucht angenehmen Embarras wirklich verloren fühlen werde. Leonidas suchte eine neue knappe Formulierung für seine Beichte. Wiederum mißlang's. Als er bei der vierten Fassung hielt, schlug er plötzlich wütend die Faust auf den Tisch. Scheußliche Sucht des Beamten, alles zu motivieren, alles zu unterbauen! Lag nicht das wahre Leben im Unvorhergesehenen, in der Eingebung der Sekunde? Hatte er, auf den Grund verderbt durch Erfolg und Wohlergehen, schon mit fünfzig Jahren verlernt, wahr zu leben? Der Sekretär klopfte. Elf Uhr! Es war Zeit. Leonidas packte mit einem ungnädigen Ruck die Mappe, verließ sein Büro und schritt schallend durch die langen Gänge des alten Palastes und über die prächtige Freitreppe in das Reich des Ministers hinab.

Der rote Salon war ein ziemlich kleiner, muffiger Raum, den der grüne Beratungstisch fast zur Gänze ausfüllte. Hier wurden zumeist die intimeren Sitzungen des Ministeriums abgehalten. Vier Herren waren bereits versammelt. Mit seinem stereotypen Lächeln (begeistert-mokant) begrüßte sie Leonidas. Da war zuvörderst der ›Präsidialist‹, der Kabinettschef des Hauses, Jaroslav Skutecky, ein Mann Mitte Sechzig, der einzige, der im Rangalter über Leonidas stand. Skutecky erschien mit seinem altertümlichen Gehrock, seinem eisengrauen Spitzbart, seinen roten Händen, seiner harten Aussprache als der reine Gegensatz des Sektionschefs, dieses Mannes nach der Mode. Er setzte soeben, nicht ohne eine gewisse Leidenschaftlichkeit, zwei jüngeren Ministerialräten und dem rothaarigen Professor Schummerer auseinander, wie glänzend er in diesem Jahre seinen Sommerurlaub eingerichtet hatte. Mit der ganzen Familie, ›leider siebenköpfig‹, wie er immer wieder betonte:

»Am schönsten See des Landes, ich bitte, am Fuße unsres imposantesten Gebirgsstockes, ich bitte, der Ort wie ein Schmuckkästchen, keine Elegance, aber Saft und Kraft, mit Freibad und Tanzgelegenheit für die liebe Jugend, mit Autobus in jede Richtung, ich bitte, und mit gepflegten Promenaden für Gicht und Angina pectoris. Drei prima Zimmer im Gasthof, kein Luxus, aber Wasser, fließend, kalt und warm, und alles, was man sonst noch braucht. Den Kostenpunkt werden die Herren nicht erraten. Sage und schreibe fünf Schilling pro Kopf. Das Essen, ich bitte, brillant, üppig, mittags à drei Gänge, abends à vier Gänge. Hören Sie: Eine Suppe, eine Vorspeise, Braten mit zwei Gemüsen, eine Nachspeise, Käse, Obst, alles mit Butter oder bestem Fett zubereitet, auf mein Wort, ich übertreibe nicht . . .«
Dieser Hymnus wurde dann und wann durch die zustimmend grunzende Bewunderung der Hörer

unterbrochen, wobei sich ein jüngeres schwammiges Gesicht mit einer Stupsnase rühmlich hervortat. Leonidas aber trat ans Fenster und starrte auf das ernste vergeisterte Gemäuer der gotischen Minoritenkirche, die dem Palais des Ministeriums gegenüberlag. Dank Amelie, dank seiner Kinderlosigkeit, hatte er es nicht notwendig gehabt, in der grenzenlosen Banalität des kleinbürgerlichen Lebens zu versinken wie dieser alte Skutecky und all die anderen Kollegen, die ihre bevorzugte Stellung durch äußerst magere Bezüge abbüßten. (Der Beamte hat nichts, das aber hat er sicher, sagt der Wiener Komödiendichter.) Leonidas berührte mit der Stirn das kalte Fensterglas. An die linke Flanke der geduckten Kirche schmiegte sich ein zausiges Vorgärtlein, aus dessen Rasen ein paar ziemlich verhungerte Akazienbäume emporwuchsen. Die regungslosen Blätter schienen der Natur aus Wachs täuschend nachgebildet zu sein. Der schöne Platz glich heute dem dumpfen Lichtschacht einer Mietskaserne. Den Himmel sah man nicht. Es wurde immer dunkler im Zimmer. Leonidas war so tief in der Leere seiner Verstörtheit versunken, daß er das Erscheinen des Ministers gar nicht bemerkt hatte. Ihn weckte erst die hohe, ein wenig belegte Stimme dieses Vinzenz Spittelberger:

»Grüß Gott die Herren alle miteinand', Servus, Servus . . .«

Der Minister war ein kleiner Mann in einem verdrückten und zerknitterten Anzug, der den Verdacht erregte, sein Träger habe mehrere Nächte in ihm schlafend zugebracht. Alles an diesem Spittelberger war grau und wirkte sonderbar ausgewaschen. Die Haare, die in Bürstenform in die Höhe standen, die schlecht rasierten Backen, die stark vorgewölbten Lippen, die Augen, die exzentrisch schielten – man nannte das hierzulande ›himmeln‹ –, ja selbst der Spitzbauch, der unvermittelt und unbegründet unter dem bescheidenen Brustkasten vorsprang. Der Mann stammte aus einem der Alpenländer, nannte sich selbst in jedem zweiten Satz einen Bauern, war's aber keineswegs, sondern hatte sein ganzes Leben in großen Städten zugebracht, zwanzig davon in der Hauptstadt, als Lehrer und zuletzt Direktor einer Fortbildungsschule. Spittelberger machte den Eindruck eines tagblinden Tieres. Der altmodisch-eigensinnige Klemmer vor seinen himmelnden Augen schien diesen nicht zum Sehen zu verhelfen. Sogleich, nachdem er den Präsidentensitz an dem Beratungstisch eingenommen hatte, sank sein großer Kopf voll gleichgültigen Lauschens gegen die rechte Schulter. Die Beamten wußten, daß der Minister in den letzten Tagen eine Reihe von politischen Versammlungen im ganzen Lande abgehalten hatte und erst am frühen Morgen mit dem Nachtzug aus einer entfernten Provinz angekommen war. Spittelbergers Natur stand im Rufe einer stets schlafbedürftigen Unverwüstlichkeit:

»Ich habe die Herren hierher gebeten«, begann er mit heiserer Eiligkeit, »weil ich beim morgigen Ministerrat die Sache mit den Berufungen gern unter Dach und Fach bringen möchte. Die Herren kennen mich. Ich bin expeditiv. Also, lieber Skutecky, wenn ich bitten darf . . .«

Er lud mit einer halben, fast wegwerfenden Geste die Beamten zum Sitzen ein, zog aber den Professor Schummerer auf den Platz zu seiner Rechten. Der Rothaarige spielte die Rolle eines Vertrauensmannes der Universität beim Ministerium und galt überdies als besonderer Günstling Spittelbergers, dieser ›politischen Sphinx‹, wie einige den Minister bezeichneten. Zum Ärger des Sektionschefs Leonidas tauchte Schummerer stets gegen Mittag im Hause auf, trieb sich schlurfenden Ganges in den verschiedenen Büros umher, hielt die Arbeit auf, indem er den akademischen Klatsch hinterbrachte und im Austausch dafür den politischen Klatsch einhandelte. Er war Prähistoriker von Fach. Seine Geschichtswissenschaft begann genau dort, wo das geschichtliche Wissen zu Ende ist. Sein Forschergeist fischte gewissermaßen im Trüben. Schummerers Neugier aber galt nicht nur der vergangenen, sondern nicht minder der gegenwärtigen Steinzeit.

Er besaß das feinste Ohr für das verschlungene Hin und Her der Beziehungen, Einflüsse, Sympathien und Intrigen. Wie an einem Barometer konnte man an seinem Gesicht die Schwankungen des politischen Wetters ablesen. Auf welche Seite er sich neigte, dort war zuversichtlich die Macht von morgen . . .

»Der Herr Sektionschef wird die Güte haben . . .«, sagte der alte Skutecky mit harter Aussprache und blickte verlangend auf die Mappe, die vor Leonidas lag.

»Ach so«, räusperte sich dieser, öffnete die Mappe und begann mit seiner in fünfundzwanzig Jahren erworbenen technischen Gewandtheit den Vortrag. Sechs Lehrstühle mußten an den verschiedenen Hochschulen des Landes neu besetzt werden. In der Reihenfolge und nach den Angaben der vor ihm liegenden Aufzeichnungen berichtete der Sektionschef über die einzelnen Gelehrten, die in Vorschlag gebracht worden waren. Er tat dies mit einem völlig gespaltenen Bewußtsein. Seine Stimme ging wunderlich neben ihm einher. Tiefes Schweigen herrschte. Keiner der Herren erhob einen Einwand gegen die Kandidaten. Jedesmal, wenn ein Fall erledigt war, reichte Leonidas das betreffende Blatt dem jungen Beamten mit dem schwammigen Gesicht, der dienstfertig hinter dem Minister stand und es behutsam in dessen großer Aktentasche versorgte.

Vinzenz Spittelberger selbst jedoch hatte seinen Klemmer auf den Tisch gelegt und schlief. Er sammelte Schlaf, wo und wie er nur konnte, besser, er hamsterte Schlaf. Hier ein halbes Stündchen, dort zehn Minuten, zusammen ergab's doch eine hübsche Summe, die man ohne wesentlichen Fehlbetrag der Nacht entziehen konnte. Die Nacht aber brauchte man für Freunde, für den Dienst an diesem oder jenem Stammtisch, für Aufarbeitung von Rückständen, für Reisen und vor allem für die große Wollust der Verschwörungen. In der geselligen Nacht keimt das am Tage Gepflanzte, der zarte Schößling der Intrige. Auch ein Politiker in Amt und Würden kann daher auf die Nacht nicht verzichten, die ein zigeunerhaftes, aber produktives Element ist. Heute spielt man noch den Fachminister. Morgen aber wird man vielleicht die ganze Macht im Staate an sich reißen, wenn man die Zeichen der Zeit richtig verstanden, erkannt und sich nach keiner Seite hin unvorsichtig gebunden hat. Spittelberger schlief einen eigenartigen Schlaf, der wie ein Vorhang voll von Löchern und Rissen war, ohne darum weniger zu erquicken. Dahinter lauerte der Schläfer, jeden Augenblick auf dem Sprung, hervorzufahren und zuzupacken.

Zwanzig Minuten hatte Leonidas bereits gesprochen, indem er die Lebensläufe, die Taten und Werke der zu berufenden Professoren verlas und aus den vorliegenden Berichten eine Charakteristik ihres politischen und bürgerlichen Wohlverhaltens zusammenstellte. Seine Stimme huschte angenehm, leise und flüchtig dahin. Niemand merkte, daß sie gleichsam auf eigene Rechnung und Gefahr handelte und sich vom Geiste des Sprechers getrennt hatte. Soeben wanderte das Vormerkblatt des fünften Weisen in die Hand des Schwammigen. Es war so finster geworden, daß jemand die Deckenbeleuchtung einschaltete.

»Ich komme nun zu unserer medizinischen Fakultät«, sagte die angenehme Stimme und machte eine bedeutsame Pause. »Der Ordinarius für Innere Medizin, Herr Minister«, mahnte jetzt Skutecky, mit einem leicht erhobenen, fast frommen Ton, als befinde man sich in einer Kirche. Diese Form des Weckens wäre aber durchaus nicht nötig gewesen, denn Spittelberger hatte seine verwaschenen Augen längst aufgeschlagen und himmelte ohne eine Spur von Verwirrung oder Schlaftrunkenheit im Kreise umher. Dieser Schlafkünstler hätte ohne Zweifel die Namen und Eigenschaften der fünf bisher verhandelten Kandidaten fehlerlos aufzählen können, besser jedenfalls als Leonidas.

»Die Medizin«, lachte er, »da muß man aufpassen. Die interessiert das Volk. Sie ist der Übergang von der Wissenschaft zur Wahrsagerei. Ich bin nur ein einfacher Mensch, ein harmloser Bauer, wie die

Herren ja wissen, darum geh ich lieber gleich zum Dürrkräutler, zum Wunderdoktor oder zum Bader, wenn mir etwas fehlt. Es fehlt mir aber nichts . . .«

Schummerer, der Prähistoriker, kicherte mit gefälliger Übertriebenheit. Er wußte, wie sehr Vinzenz Spittelberger auf dergleichen Humor eingebildet war. Auch Skutecky, vom untergebenen Schmunzeln der jüngeren Herren unterstützt, erging sich in einem: »Glänzend das . . .« Und er fügte schnell hinzu:

»Da werden Herr Minister also auf den Vorschlag Professor Lichtl zurückgreifen . . .«

Einmal im Schuß seiner anerkannten Witzigkeit, grinste Spittelberger und sog hörbar den Speichel ein:

»Habt ihr kein größeres Kirchenlichtl auf Lager als diesen Lichtl? Wenn ich ihn brauchen kann, werd' ich den Teufel zum Ordinarius für Innere Medizin machen . . .«

Leonidas starrte inzwischen teilnahmslos auf die wenigen Blätter, die noch vor ihm lagen. Er las den Namen des berühmten Herzspezialisten: Professor Alexander Bloch. Seine eigene Hand hatte über diesen Namen mit Rotstift das Wort ›Unmöglich‹ geschrieben. Die Luft war dick von Zigarettenrauch und Dämmerung. Mann konnte kaum atmen.

»Die Fakultät und der akademische Senat haben sich voll und ganz für Lichtl ausgesprochen«, bekräftigte Schummerer Skuteckys Anregung und nickte siegesgewiß. Da aber erhob sich die Stimme des Sektionschefs Leonidas und sagte: »Unmöglich.«

Alles blickte jäh auf. Spittelbergers von Natur übernächtiges Gesicht blinzelte gespannt. »Wie bitte«, fragte hart der alte Präsidialist, der seinen Kollegen mißverstanden zu haben glaubte, hatte er doch gestern erst mit ihm über diesen heiklen Fall gesprochen und daß es in heutiger Zeit nicht angehe, dem Professor Alexander Bloch, möge er auch die größte Kapazität sein, einen so wichtigen Lehrstuhl anzuvertrauen. Der Kollege war vollinhaltlich derselben Ansicht gewesen und hatte überdies aus seiner Abneigung gegen Professor Bloch samt dessen wohlbekannten Anhang keinen Hehl gemacht. Und jetzt? Die Herren waren verwundert, ja bestürzt über dieses auffallend dramatische ›Unmöglich‹, Leonidas nicht zuletzt. Während seine Stimme nun den Einwurf gelassen begründete, erkannte die andere Person in ihm, beinahe amüsiert: Ich bin mir gänzlich untreu geworden und beginne hiermit bereits für meinen Sohn zu wirken ... »Ich will dem Professor Lichtl nicht nahetreten«, sagte er laut, »er mag ein guter Arzt und Lehrer sein, er war bisher nur in der Provinz tätig, seine Publikationen sind nicht sehr zahlreich, man weiß nicht viel von ihm. Professor Bloch aber ist weltberühmt, Nobelpreisträger für Medizin, Ehrendoktor von acht europäischen und amerikanischen Universitäten. Er ist ein Arzt der Könige und Staatsoberhäupter. Erst vor einigen Wochen hat man ihn nach London in den Buckingham-Palast zum Konsilium berufen. Er zieht alljährlich die reichsten Patienten nach Wien, argentinische Nabobs und indische Maharadschas. Ein kleines Land wie das unsrige kann es sich nicht leisten, eine solche Größe zu übergehen und zu kränken. Durch diese Kränkung würden wir außerdem noch die öffentliche Meinung des ganzen Westens gegen uns aufbringen . . .«

Ein Schatten von Spott flog über den Mund des Sprechers. Er dachte daran, daß er jüngst bei einem glänzenden Gesellschaftsabend über den ›Fall Bloch‹ befragt worden war. Dieselben von ihm soeben gebrauchten Argumente hatte er bei dieser Gelegenheit auf das entschiedenste abgewehrt. Derartige internationale Erfolge wie bei Bloch und Konsorten seien nicht auf wirklichen Werten und Leistungen gegründet, sondern auf der wechselseitigen Förderung der Israeliten in der Welt, auf der ihr hörigen Presse und auf dem bekannten Schneeballsystem unerschrockener Reklame. Dies waren nicht nur seine Worte gewesen, ausdrücklich, sondern auch seine Überzeugung.

Der Prähistoriker wischte sich betreten die Stirn:
»Schön und gut, verehrter Herr Sektionschef ...
Leider aber ist das Privatleben dieses Herrn nicht
einwandfrei. Die Herren wissen, ein enragierter
Spieler, Nacht für Nacht, Poker und Baccarat. Es
geht dabei um die größten Summen. Darüber besitzen wir einen geheimen Polizeibericht. Und Hono-
rare versteht dieser Herr einzukassieren, Prost
Mahlzeit, das ist bekannt. Zweihundert bis tausend
Schilling, eine einzige Untersuchung. Ein Herz hat
er nur für Glaubensgenossen, das versteht sich, die
behandelt er gratis, besonders dann, wenn sie noch
im Kaftan in die Ordination kommen ... Ich
glaube meinerseits, ein kleines Land wie das unsre
kann es sich nicht leisten, einen Abraham
Bloch ...«
Hier nahm der alte Skutecky dem allzu eifernden
Vorgeschichtler das Wort ab. Er tat es mit einem
nachsichtigen und völlig objektiven Tonfall:
»Ich bitte zu bedenken, daß Professor Alexander
Bloch schon siebenundsechzig Jahre alt ist und daß
er somit nur mehr zwei Jahre Lehrtätigkeit vor sich
hat, wenn man das Ehrenjahr nicht einrechnet.«
Leonidas, unhaltbar auf der schiefen Ebene, konnte
es nicht unterlassen, ein Scherzwort zu zitieren, das
in gewissen Kreisen der Stadt im Schwange war:
»Jawohl, meiner Herren! Früher war er zu jung für
ein Ordinariat. Jetzt ist er zu alt. Und zwischen-

durch hatte er das Pech, Abraham Bloch zu heißen . . .«

Niemand lachte. Die gerunzelten Mienen von Rätsellösern betrachteten streng den Abtrünnigen. Was war hier vorgegangen? Welche dunkeln Einflüsse mischten sich ins Spiel?

Natürlich! Der Mann einer Paradini! Mit soviel Geld und Beziehungen gesegnet, darf man sichs herausnehmen, gegen den Strom zu schwimmen. Die Paradinis gehören zur internationalen Geldaristokratie. Aha, daher weht der Wind! Dieser Abraham Bloch setzt wahrhaftig Himmel und Hölle in Bewegung, und dazu vermutlich noch das englische Königshaus. Machenschaften der Freimaurerei und des goldenen Weltklüngels, während unsereins nicht weiß, wo das Geld für einen neuen Anzug hernehmen . . .

Der rothaarige Zwischenträger schneuzte hierauf seine poröse Nase und betrachtete nachdenklich das Resultat:

»Unser großer Nachbar«, meinte er schwermütig und drohend zugleich, »hat die Hochschulen radikal von allen artfremden Elementen gesäubert. Wenn ein Bloch bei uns eine Lehrkanzel erhält, und gar die für Innere Medizin, dann ist das eine Demonstration, ein Faustschlag ins Gesicht des Reiches, das gebe ich dem Herrn Minister zu bedenken . . . Und wir wollen doch, um unsre Unabhängigkeit zu verteidigen, diesen Leuten den Wind aus den Segeln nehmen, nicht wahr . . .«

Das Gleichnis von dem Winde, den man dem künftigen Steuermann aus den Segeln nehmen wollte, war recht beliebt in diesen Tagen. Jemand sagte: »Sehr richtig!« Der schwammige Subalterne hinter dem Stuhl des Ministers hatte sich zu diesem Zwischenruf hinreißen lassen. Leonidas faßte ihn scharf ins Auge. Der Beamte gehörte einer Abteilung an, mit welcher der Sektionschef nur selten in Berührung kam. Der unberechenbare Spittelberger aber hatte ihn unter seine Günstlingschaft aufgenommen, weshalb er auch der gegenwärtigen Beratung zugezogen worden war. Der wasserhelle Blick des Feisten strahlte solch einen Haß aus, daß Leonidas ihm kaum standhalten konnte. Der bloße Name ›Abraham Bloch‹ hatte genügt, dieses phlegmatisch breite Gesicht mit Zornesröte zu entflammen. Aus welchen Quellen sammelte sich dieser überschwengliche Haß? Und warum wandte er sich mit dieser frechen Offenheit gegen ihn, den erprobtesten Mann in diesem Hause, der auf fünfundzwanzig ehrenvolle Dienstjahre zurückblicken durfte? Er persönlich hatte doch niemals die geringste Vorliebe für Typen wie Professor Bloch gezeigt. Ganz im Gegenteil! Er hatte sie gemieden, wenn nicht streng abgelehnt. Nun aber sah er sich auf einmal – es ging nicht mit rechten Dingen zu – in diese verdächtige

Gemeinschaft verstrickt. Das alles hatte er dem diabolischen Brief Vera Wormsers zu verdanken. Die sicheren Grundlagen seiner Existenz schienen umgestürzt. Er fand sich gezwungen, die Kandidatur eines medizinischen Modegötzen gegen seine Überzeugung zu vertreten. Und jetzt mußte er zu allem noch die unverfrorenen Bemerkungen und die schamlosen Blicke dieses breiigen Laffen hinnehmen, als wäre er nicht nur Blochs Verteidiger, sondern schon Bloch selbst.

So schnell war das gegangen. Leonidas senkte als erster die Augen vor diesem Feinde, der ihm urplötzlich erstanden war. Da erst fühlte er, daß ihn Spittelberger hinter seinem schiefen Klemmer höchst aufmerksam anstarrte:

»Sie haben Ihren Standpunkt auffällig geändert, Herr Sektionschef . . .«

»Ja, Herr Minister, ich habe meinen Standpunkt in dieser Frage geändert . . .«

»In der Politik, lieber Freund, ist es manchmal ganz gut, wenn man Ärger erregt. Es kommt nur darauf an, wen man ärgert . . .«

»Ich habe nicht die Ehre, ein Politiker zu sein, Herr Minister. Ich diene nach bestem Gewissen dem Staate . . .«

Eine frostige Pause. Skutecky und die andern Beamten verkrochen sich in ihr Inneres. Spittelberger aber schien den pikierten Satz durchaus nicht krummzunehmen. Er zeigte seine schlechten Zähne und erklärte gemütlich:

»No, no, ich habe das nur als einfacher Mensch gesagt, als ein alter Bauer . . .«

Keinen Menschen gab's auf der weiten Welt – wie spürte es Leonidas jetzt –, der weniger einfach, der verzwickter und vertrackter gewesen wäre als dieser ›alte Bauer‹. Fühlbar rasten hinter der lautlosen Stirn des borstigen Dickschädels in vielen übereinandergebauten Stockwerken die Hochbahn- und Untergrundbahnzüge seiner unermüdlichen Zielstrebigkeit. Spittelbergers elektrischer Opportunismus stand wie ein Wolkengebilde im Raum, quälender jetzt als Schummerers und des Schwammigen Feindseligkeit. Die letzte atembare Luft ging aus.

»Herr Minister gestatten«, schnappte Leonidas und riß ein Fenster auf. In demselben Augenblick brach der Platzregen los. Eine schraffierte Wassermauer verbaute die Welt. Man sah die Minoritenkirche nicht mehr. Der Lärm einer Kavallerieattacke knatterte über Dächer und Pflaster. Inmitten des Riesengebäudes aus Regen vergrollte ein Donner, dem kein Blitz vorgegangen war.

»Das war höchste Zeit«, sagte Skutecky mit harter Aussprache. Spittelberger hatte sich erhoben und kam, die linke Schulter hochgezogen, beide Hände in den Taschen der zerknitterten Hose, schleppenden Ganges auf Leonidas zu. Jetzt glich er wirklich einem Bauern, der beim Wochenmarkt seine Kuh über den Preis loszuschlagen trachtet:

»Wie wär's, Herr Sektionschef, wenn wir diesem Bloch das große goldne Ehrenkreuz für Kunst und Wissenschaft verleihen lassen und den Titel eines Hofrates dazu . . .«

Dieser Vorschlag bewies, daß der Minister seinen Sektionschef nicht für einen bürokratischen Handlanger hielt wie den braven Jaroslav Skutecky, sondern für eine einflußreiche Persönlichkeit, hinter der sich undurchsichtige Mächte verbargen, die nicht verletzt werden durften. Die Lösung des Problems war Spittelbergers würdig. Eine Lehrkanzel und Klinik, sie bedeuten eine reale Machtstellung und sollen daher der bodenständigen Wissenschaft nicht entzogen werden. Ein hoher Orden aber, der nur äußerst selten verliehen wird, stellt eine Ehrung von solchem Rang dar, daß die Parteigänger der Gegenseite nicht mehr den Mund öffnen können. Beiden Teilen ist somit gedient.

»Was meinen Sie zu diesem Ausweg?« lockte Spittelberger.

»Ich halte diesen Ausweg für unstatthaft, Herr Minister«, sagte Leonidas.

Vinzenz Spittelberger, die Sphinx, spreizte die stämmigen Beine und senkte seinen grauen Borstenschädel wie ein Ziegenbock. Leonidas sah auf den kahlen Fleck am Scheitel hinab und hörte, wie der

Politiker Speichel einschlürfte, ehe er gelassen betonte:

»Sie wissen, ich bin sehr expeditiv, lieber Freund . . .«

»Ich kann Herr Minister nicht hindern, einen Fehler zu begehen«, sagte Leonidas knapp, während ihn das berauschende Bewußtsein eines unbekannten Mutes durchströmte. Worum ging es? Um Alexander Bloch? Lächerlich! Dieser unglückliche Bloch war nur ein auswechselbarer Anlaß. Leonidas aber wähnte, jetzt stark genug zu sein für die Wahrheit und für die Erneuerung seines Lebens.

Minister Spittelberger hatte den roten Salon, gefolgt von Skutecky und den Ministerialräten, bereits verlassen. Unvermindert prasselte der Regen fort.

Fünftes Kapitel

EINE BEICHTE, DOCH NICHT
DIE RICHTIGE

Als Leonidas nach Hause kam, regnete der Regen noch immer in beständigen, wenngleich schon müderen Strichen. Der Diener meldete, daß die gnädige Frau von ihrer Ausfahrt noch nicht heimgekehrt sei. Es geschah höchst selten, daß Leonidas, mittags vom Amte kommend, auf Amelie warten mußte. Während er seinen triefenden Mantel auf den Bügel hängte, zitterte in ihm noch immer die Betroffenheit über sein heutiges Verhalten nach. Er war dem Minister gegenüber zum erstenmal im Leben aus dem Takt des Beamtentums gefallen. Es war nicht Sache dieses Beamtentums, mit offenem Visier zu kämpfen. Man benutzte gelenkig die Strömung der Welt, von der man sich mit Umsicht treiben ließ, um die unerwünschten Klippen zu vermeiden und die erwünschten Halteplätze anzustreben. Er aber war dieser verfeinerten Kunst untreu geworden und hatte den Fall Alexander (Abraham) Bloch brutalisiert und ihn zu einer Krise, zu einer Kabinettsfrage emporgestritten. (Ein Fall übrigens, der zum Gähnen langweilig war.) Wenn er jedoch schon durch Veras und des Sohnes geheimen Einfluß in diesen

86

Kampf geglitten war, so hätte er ihn nach altem Brauch mit der ›negativen Methode‹ führen sollen. Anstatt für Professor Bloch hätte er gegen Professor Lichtl sein müssen, und zwar durchaus nicht mit den wirklichen Argumenten, sondern mit rein formalen Einwendungen. Skutecky hatte sich wieder einmal als Meister seines Faches erwiesen, indem er gegen Bloch nicht etwa den nackten antisemitischen Grund ins Treffen führte, sondern den objektiven und gerechten Grund seines vorgerückten Alters. In ähnlicher Art hätte er den Beweis konstruieren müssen, daß Lichtls Kandidatur nicht allen sachlichen Forderungen entspreche. Sollte morgen der Ministerrat die Berufung dieses Lückenbüßers beschließen, so hatte er, der Sektionschef, sich eine schwere Niederlage auf seinem eigensten Gebiete zugezogen. Nun war's zu spät. Sein Benehmen heute, die Niederlage morgen, die würden ihn unweigerlich zwingen, demnächst in den Ruhestand zu treten. Er dachte an den Haßblick des Schwammigen. Es war der Haßblick einer neuen Generation, die ihre fanatische Entscheidung getroffen hatte und ›Unsichere‹ wie ihn erbarmungslos auszurotten gedachte. Den rachsüchtigen Spittelberger beleidigt, den Schwammigen und die Jugend aufs Blut empört, sieh nur an, das genügt, damit alles zu Ende sei. Leonidas, der an demselben Morgen noch seine Laufbahn sich mit freudigem Erstaunen bewußt gemacht hatte, er gab sie nun um halb ein Uhr mittags kampflos und ohne Bedauern preis. Allzugroß war die Verwandlung, die der Rest dieses Tages forderte. Allzuschwer lastete die nächste Stunde der Beichte auf ihm. Doch es mußte sein.

Er stieg langsam die Treppen in das obere Stockwerk hinauf. Sein bauschiger Hausrock hing, wohlvorbereitet, über einem Stuhl wie immer. Er legte den grauen Sakko ab und wusch im Badezimmer ausführlich Gesicht und Hände. Dann erneuerte er mit Kamm und Bürste seinen genauen Scheitel. Während er dabei im Spiegel sein noch jugendlich dichtes Haar betrachtete, wandelte ihn eine höchst sonderbare Empfindung an. Er tat sich um dieser wohlerhaltenen, so hübschen Jugendlichkeit willen selbst leid. Die unbegreifliche Parteilichkeit der Natur, die jenen Schläfer auf der Schönbrunner Parkbank mit Fünfzig zur Ruine verdammt, ihn aber mit Jugendfrische gesegnet hatte, sie schien ihm nun sinnlos verschwendet zu sein. Im Vollbesitz seines dichten weichen Haares und seiner rosigen Wangen wurde er aus der Bahn geworfen. Ihm wäre leichter ums Herz gewesen, hätte ihn aus dem Spiegel ein altes verwüstetes Gesicht angestarrt. So aber zeigten ihm die wohlbekannten liebwerten Züge, was alles verloren war, obgleich die Sonne noch so köstlich hoch stand . . .

Die Hände auf dem Rücken, schlenderte er durch

die Räume. In Amelies Ankleidezimmer blieb er witternd stehen. Diesen Teil des Hauses betrat er nur sehr selten. Das Parfüm, das Amelie zu benützen pflegte, schlug ihm matt entgegen, wie eine Anklage, die dadurch, daß sie ganz leise ist, doppelt wirkt. Der Duft fügte den Lasten seines Herzens eine neue hinzu. Nebengerüche von gebranntem Haar und Spiritus verschärften die Wehmut noch. Im Zimmer herrschte noch die leichte Unordnung, die Amelie zurückgelassen hatte. Mehrere Paare kleiner Schuhe standen betrübt durcheinander. Der Toilettentisch mit seinen vielen Fläschchen, Kristall-Flakons, Schälchen, Schächtelchen, Döschen, Scherchen, Feilchen, Pinselchen war nicht zusammengeräumt. Wie der Abdruck eines zärtlichen Körpers auf verlassenen Kissen, so schwebte Amelies Wesenheit im Raum. Auf dem Sekretär lagen neben Büchern, illustrierten Zeitschriften und Modeblättern ganze Haufen offener Briefe achtlos zur Schau. Es war verrückt, aber in dieser Minute sehnte sich Leonidas danach, daß Amelie ihm etwas angetan habe, daß er könnte einen fassungslosen Schmerz über eine Schuld empfinden, die ihr Gewissen niederzog, dem seinen jedoch die Unschuld beinahe wiedergab. Was er immer verabscheut hatte, tat er jetzt zum erstenmal. Er stürzte sich auf die offenen Briefe, wühlte erregt im kalten Papier, las eine Zeile hier, ein Sätzchen dort, verhaftete jede männliche Handschrift, fahndete verwirrt nach Beweisen der Untreue, ein unglaubwürdiger Schatzgräber seiner eigenen Schande. War es denkbar, daß Amelie ihm ein treues Weib geblieben, diese ganzen zwanzig Jahre lang, ihm, einem eitlen Feigling, dem ausdauerndsten aller Lügner, der unter dem gesprungenen Lack einer unechten Weltläufigkeit ewig den Harm seiner elenden Jugend verbarg? Nie hatte er den gottgewollten Abstand zwischen sich und ihr überwinden können, den Abstand zwischen einer geborenen Paradini und einem geborenen Dreckfresser. Nur er allein wußte, daß seine Sicherheit, seine lockere Haltung, seine lässige Elegance anderen abgeguckt war, eine mühsame Verstellung, die ihn nicht einmal während des Schlafes freigab. Mit Herzklopfen suchte er die Briefe des Mannes, die ihn zum Hahnrei machten. Was er fand, waren die reinsten Orgien der Harmlosigkeit, die ihn gutmütig verspotteten. Da riß er die Schubläden des zierlichen Schreibtisches auf. Ein holdes Chaos fraulicher Vergeßlichkeiten bot sich dar. Zwischen Sammet- und Seidenfetzen, echten und falschen Schmuckstücken, Galalithringen, einzelnen Handschuhen, versteinten Schokoladebonbons, Visitenkarten, Stoffblumen, Lippenstiften, Arzneischachteln lagen in verschnürten Bündeln alte Rechnungen, Bankausweise und wiederum Briefe, auch sie vor Unschuld ihn an- und auslachend. Zuletzt fiel ihm ein Kalenderbüchlein in die Hand. Er blätterte es auf. Er verletzte schamlos dieses Geheimnis. Flüchtige Eintragungen Amelies an gewissen Tagen: »Heute wieder einmal allein mit León! Endlich! Gott sei Dank!« – »Nach dem Theater eine wunderschöne Nacht. Wie einst im Mai, León entzückend.« In diesem Büchlein stand ein rührend genaues Kontokorrent ihrer Liebe verzeichnet. Die letzte Eintragung umfaßte mehrere Zeilen: »Finde León seit seinem Geburtstage etwas verändert. Er ist etwas verletzend galant, herablassend, dabei unaufmerksam. Das gefährliche Alter der Männer. Ich muß aufpassen. Nein! Ich glaube felsenfest an ihn.« – Das Wort ›felsenfest‹ war dreimal unterstrichen. Sie glaubte an ihn! Wie arglos war sie doch trotz ihrer Eifersucht. Seine absurde, schmutzige Hoffnungs-Angst hatte getrogen. Keine Schuld der Frau entlastete die seine. Sie legte vielmehr als das letzte und schwerste Gewicht ihren Glauben ihm auf die Seele. Ihm geschah recht. Leonidas setzte sich an dem Schreibtisch nieder und starrte gedankenlos auf die süße Unordnung, die er mit gemeiner Hand entweiht und vermehrt hatte.

Er fuhr nicht erschrocken auf, er blieb sitzen, als Amelie eintrat.

»Was tust du hier?« fragte sie. Die Schatten und Bläulichkeiten unter ihren Augen waren schärfer geworden. Leonidas zeigte keine Spur von Verlegenheit. Was für ein abgefeimter Lügner bin ich doch, dachte er, es gibt schließlich keine Situation, die mich aus dem Konzept bringt. Er wandte ihr ein müdes Gesicht zu:

»Ich habe bei dir ein Mittel gegen meine Kopfschmerzen gesucht. Aspirin oder Pyramidon . . .«

»Die Schachtel mit dem Pyramidon liegt großmächtig vor dir . . .«

»Mein Gott, und ich hab sie übersehn . . .«

»Vielleicht hast du dich zuviel mit meiner Korrespondenz beschäftigt . . . Mein Lieber, solange eine Frau so schlampig ist wie ich, hat sie gewiß nichts zu verheimlichen . . .«

»Nein, Amelie, ich weiß wie du bist, ich glaube felsenfest an dich . . .«

Er stand auf, wollte ihre Hand ergreifen. Sie wich einen Schritt zurück und sagte, ziemlich betont:

»Es ist nicht besonders galant, wenn ein Mann seiner Frau allzu sicher ist . . .«

Leonidas drückte die Fäuste gegen seine Schläfe. Die soeben erlogenen Kopfschmerzen hatten sich prompt eingestellt. Sie hat irgend etwas, witterte es in ihm. Schon heute am Morgen hatte sie irgend etwas. Und mittlerweile scheint es sich noch verdichtet zu haben. Wenn sie mir jetzt eine ihrer Szenen macht, wenn sie mich beleidigt und sekkiert, dann wird mir das Geständnis leichter fallen. Wenn sie aber gut zu mir ist und liebevoll, dann weiß ich nicht, ob ich den Mut haben werde . . . Zum Teufel, es gibt kein Wenn und Aber mehr, ich muß reden!

Amelie streifte ihre veilchenfarbenen Handschuhe von den Fingern, legte den sommerlich dünnen Breitschwanzmantel ab, dann nahm sie schweigend eine Pastille aus der Schachtel, ging in ihr Badezimmer und kam mit einem Glas Wasser zurück. Ach, sie ist gut zu mir. Leider! Während sie die Droge in einem Löffel auflöste, fragte sie:

»Hast du Ärger gehabt, heut?«

»Ja, ich hab Ärger gehabt. Im Amt.«

»Natürlich Spittelberger?! Kann's mir denken.«

»Lassen wir das, Amelie . . .«

»Schaut aus wie eine eingetrocknete Kröte vor dem Regen, dieser Vinzenz! Und der Herr Skutecky, dieser böhmische Dorfschullehrer! Was für ein Niveau das ist, das heute regieren darf . . .«

»Die Fürsten und Grafen von ehemals haben zwar besser ausgesehen, aber noch schlechter regiert. Du bist eine unheilbare Ästhetin, Amelie . . .«

»Du hast es nicht nötig, dich zu ärgern, León! Du brauchst diese ordinäre Gesellschaft nicht. Wirf's ihnen hin . . .«

Sie führte den Löffel an seinen Mund, reichte ihm das Glas. Ihm wurde das Herz ganz schlapp vor jäher Wehmut. Er wollte sie an sich ziehen. Sie bog den Kopf zur Seite. Er merkte, daß sie heute mindestens zwei Stunden beim Friseur zugebracht haben mußte. Das wolkige Haar war untadelig gewellt und duftete wie die Liebe selbst. Es ist ein Wahnsinn, was habe ich mit dem Gespenst Vera Wormser zu schaffen? Amelie sah ihn streng an:

»Ich werde von nun an darauf bestehen, León, daß du dich täglich nach Tisch eine Stunde lang ausruhst. Du bist schließlich und endlich im gefährlichen Alter der Männer . . .«

Leonidas klammerte sich an ihren Worten fest, als könnten sie ihm zur Verteidigung dienen:

»Du hast recht, Liebste . . . Seit heute weiß ich, daß ein Fünfzigjähriger schon ein alter Mann ist . . .«

»Idiot«, lachte sie nicht ohne Schärfe. »Mir wär vermutlich wohler, wenn du endlich ein älterer Herr wärst und nicht dieser ewige Jüngling, diese anerkannte Männerschönheit, die alle Weiber angaffen . . .«

Der Gong rief zum Mahl. Es war unten in dem großen Speisezimmer ein kleiner runder Tisch zum Fenster gerückt. Die mächtige Familientafel in der Mitte des Raums stand mit ihren zwölf hochlehnigen Stühlen leer und gestorben da, nein ärger, tot ohne gelebt zu haben. Leonidas und Amelie waren keine Familie. Sie saßen als Verbannte ihrer eigenen Familientafel gleichsam am Katzentisch der Kinderlosigkeit. Auch Amelie schien dieses Exil heute stärker zu fühlen als gestern und vorgestern und all die Tage und Jahre vorher, denn sie sagte:

»Wenn es dir recht ist, werd' ich von morgen ab oben im Wohnzimmer decken lassen . . .«

Leonidas nickte zerstreut. All seine Sinne waren den ersten Worten der nahenden Beichte entgegengespannt. Ein tollkühner Einfall durchzuckte ihn. Wie wäre es, wenn er im Zuge seiner großen Konfession, anstatt um Verzeihung zu betteln, über die Schnur haute und von Amelie glatt forderte, daß sie seinen Sohn im Hause aufnehme, damit er mit ihnen wohne und am gemeinsamen Tische speise. Ohne Zweifel, ein Kind von ihm und Vera mußte einige Qualitäten besitzen. Und würde ein junges glückliches Gesicht nicht das ganze Leben erhellen?

Das erste Gericht wurde aufgetragen. Leonidas häufte seinen Teller voll, legte aber schon beim dritten Bissen die Gabel hin. Der Diener hatte Amelie diese Schüssel gar nicht gereicht, sondern ein Gefäß mit rohen Selleriestangen neben ihr Gedeck gestellt. Auch an Stelle des zweiten Ganges bekam sie nur eine winzige, rasch abgebratene Kotelette, ohne jede Zutat und Würze. Leonidas sah ihr erstaunt zu:

»Bist du krank, Amelie, hast du keinen Appetit?«

Ihr Blick konnte eine höhnische Erbitterung nicht verleugnen:

»Ich sterbe vor Hunger«, sagte sie.

»Von dieser Spatzenportion wirst du nicht satt werden.«

Sie stocherte im grünen Salat, der eigens für sie ohne Essig und Öl, nur mit ein paar Zitronentropfen angerichtet war:

»Fällt es dir erst heute auf«, fragte sie spitz, »daß ich wie eine Wüstenheilige lebe?«

Er gab ziemlich stumm und ungeschickt zurück:

»Und welches Himmelreich willst du dir dabei verdienen?«

Sie schob mit einer heftigen Ekelgeste den Salat von sich:

»Ein lächerliches Himmelreich, mein Lieber. Denn dir ist es ja vollkommen egal, wie ich aussehe . . . Dir macht es nichts aus, ob ich eine mittelschwere Tonne bin oder eine Sylphide . . .«

Leonidas, der seinen schlechten Tag hatte, verirrte sich weiter im Dickicht der Ungeschicklichkeit:

»Wie du bist, Liebling, bist du mir recht . . . Du überschätzt meine Äußerlichkeit . . . Um meinetwillen mußt du wahrhaftig nicht als Heilige leben . . .«

Ihre Augen, die älter waren, als sie selbst, blitzten ihn an, füllten sich mit häßlichen, ja mit gemeinen Wallungen:

»Aha, also ich bin für dich schon jenseits von Gut und Böse. Mir kann nach deiner Ansicht nichts mehr helfen. Ich bin nichts andres mehr für dich als eine alte schlechte Gewohnheit, die du nur so weiter mitschleppst. Eine schlechte Gewohnheit, die aber ihre praktischen Seiten hat . . .«

»Um Himmels willen, Amelie, überleg dir, was du da sprichst . . .«

Amelie aber dachte nicht daran, sich zu überlegen, was sie sprach, nein, hervorsprudelte:

»Und ich dumme Gans hab mich vorhin beinah gefreut, als du so widerlich in meinen Briefen herumspioniert hast . . . Er ist also doch eifersüchtig, hab ich gemeint . . . Keine Spur . . . Wahrscheinlich warst du auf wertvollere Dinge neugierig als auf Liebesbriefe, denn ausgesehen hast du so äquivok, daß ich erschrocken bin, so . . . So wie ein Hochstapler, ein Gentleman-Betrüger, wie ein Dienstmädchenverführer am Sonntag . . .«

»Danke«, sagte Leonidas und sah auf seinen Teller. Amelie aber konnte sich nicht länger beherrschen und brach in lautes Schluchzen aus. Da also wäre die Szene. Eine ganz sinnlose und empörende Szene. Noch nie im Leben hat sie eine ähnliche materielle Verdächtigung gegen mich ausgesprochen. Gegen mich, der ich doch immer auf strenger Sonderung bestanden habe, der ich das Zimmer verlasse, wenn sie ihre Bankiers und Advokaten empfängt. Und doch, sie schießt daneben und trifft zugleich ins Schwarze. Dienstmädchenverführer am Sonntag. Ihr Zorn macht es mir nicht leichter. Ich habe keine Möglichkeit, anzufangen . . .

Gequält erhob er sich, trat zu Amelie, nahm ihre Hand:

»Das dumme Zeug, das du da zusammengeschwätzt hast, will ich gar nicht verstehen . . . Deine abscheuliche Kalorienfexerei wird dich noch nervenkrank machen . . . Bitte, nimm dich jetzt zusammen . . . Wir wollen vor den Leuten keine Komödie aufführen . . .«

Diese Mahnung brachte sie zu sich. Jeden Augenblick konnte der Diener eintreten:

»Verzeih mir, León, ich bitte dich«, stammelte sie, noch immer schluchzend, »ich bin heut sehr elend, dieses Wetter, dieser Friseur und dann . . .«

Sie war ihrer wieder mächtig, preßte das Taschentuch gegen die Augen, biß die Zähne zusammen. Der Diener, ein älterer Mann, brachte den schwarzen Kaffee, trug die Obstteller, die Fingerschalen ab und schien nichts bemerkt zu haben. Er hantierte mit ernster Teilnahmslosigkeit ziemlich lange herum. Indessen schwiegen beide. Als sie wieder allein waren, fragte Leonidas leichthin: »Hast du einen bestimmten Grund für dein Mißtrauen gegen mich?«

Während er mit atemlos lauernder Seele diese Frage stellte, hatte er die Empfindung, als werfe er ein Laufbrett über einen finstren Spalt. Amelie sah ihn aus roten Augen verzweifelt an:

»Ja, ich habe einen bestimmten Grund, León . . .«

»Und darf ich diesen Grund erfahren?«

»Ich weiß, du kannst mich nicht leiden, wenn ich dich ausfrag. Also laß mich! Vielleicht komm ich darüber hinweg . . .«

»Wenn aber ich darüber nicht hinwegkomm«, sagte er leise, doch jedes Wort betonend. Sie kämpfte noch eine ganze Weile mit sich selbst, dann senkte sie die Stirn:

»Du hast heut früh einen Brief bekommen . . .«

»Ich habe elf Briefe bekommen heute früh . . .«

»Aber einer war darunter von einer Frau . . . So eine verstellte, verlogene Weiberschrift . . .«

»Findest du diese Schrift wirklich so verlogen?« fragte Leonidas, holte mit sehr langsamen Händen seine Brieftasche hervor und entnahm ihr das Corpus delicti. Seinen Stuhl ein bißchen vom Tisch zum Fenster abrückend, ließ er das regnerische Licht auf Veras Brief fallen. Im Raum stand die Schicksalswaage still. Wie doch alles seinen ureigenen Weg geht! Man muß sich nicht sorgen. Nicht einmal improvisieren muß man. Alles kommt anders, aber es kommt von selbst. Unsre Zukunft wird davon abhängen, ob sie zwischen den Zeilen lesen kann. Plötzlich zum kühlen Beobachter geworden, reichte er Amelie mit ausgestreckter Hand das schmale Blatt hinüber.

Sie nahm's. Sie las. Sie las halblaut: »Sehr geehrter Herr Sektionschef!« Schon bei diesen Worten der

99

Anrede bildete sich auf ihren Zügen eine Entspannung von solcher Ausdruckskraft, wie sie Leonidas an Amelie nie wahrgenommen zu haben vermeinte. Sie atmete hörbar auf. Dann las sie weiter, immer lauter:

»Ich bin gezwungen, mich heute mit einer Bitte an Sie zu wenden. Es handelt sich dabei nicht um mich, sondern um einen begabten jungen Mann . . .«

Um einen begabten jungen Mann. Amelie legte das Blatt auf den Tisch, ohne weiterzulesen. Sie schluchzte von neuem auf. Sie lachte. Lachen und Schluchzen gerieten durcheinander. Dann aber breitete sich das Lachen in ihr aus und erfüllte sie wie ein züngelndes Element.

Jäh sprang sie auf, stürzte zu Leonidas, hockte sich zu seinen Füßen nieder, legte den Kopf auf seine Knie, Gebärde ihrer widerstandslosen hingegebenen Stunden. Da sie aber sehr groß war und lange Beine hatte, wirkte diese heftige Gebärde der Demütigung immer ein wenig erschreckend, ja erschütternd auf ihn.

»Wärst du jetzt ein primitiver Mann«, stammelte sie, »du müßtest mich schlagen oder würgen oder was weiß ich, denn ich habe dich so gehaßt, du mein Liebstes, wie ich noch nichts gehaßt hab. Sag kein Wort, um Gottes willen, laß mich beichten . . .«

Er sagte kein Wort. Er ließ sie beichten. Er starrte auf das weich modellierte Blond ihres Haares. Sie aber, ohne ein einziges Mal aufzublicken, sprach hastig wie in die Erde hinein:

»Wenn man so beim Friseur sitzt, den Kopf unter der Nickelhaube, stundenlang, in den Ohren surrt's, die Luft wird immer heißer, jede Haarwurzel schreit vor Nervosität, wegen der Wasserwellen muß man das aushalten, abends die Oper, und bei diesem Wetter gehn die Haare immer wieder auf . . . Ich habe mir die Bilder in der ›Vogue‹ und im ›Jardin des Modes‹ angeschaut, ohne das geringste zu sehen, nur um nicht verrückt zu werden, denn, du weißt, ich war unbeschreiblich überzeugt davon, du bist ein lebenslänglicher Schwindler, ein glatter Betrüger, wirklich so eine Art Dienstmädchenverführer am Sonntag, immer tip top, du glitschiger Aal, und mich hast du hereingelegt seit vollen zwanzig Jahren, durch ›Vorspiegelungen‹, nicht wahr, man nennt das so im Gerichtssaal, denn du hast mir seit dem Tag unsrer Verlobung vorgespielt, das zu sein, was du bist, und ich hab ein ganzes Leben gebraucht und meine Jugend verloren, um dir daraufzukommen, daß du eine Geliebte hast, namens Vera Wormser loco, denn ihren Brief hab ich auf dem Tisch gesehen, knapp eh du zum Frühstück gekommen bist, und es war wie eine fürchterliche Erleuchtung, und ich hab all meine Kraft zusammennehmen müssen, um den Brief nicht zu stehlen, es war aber unnötig, denn ich hab's doch durch die Erleuchtung sonnenklar gewußt, daß du so einer bist, der ein Doppelleben führt, man kennt das ja vom Film, und ihr habt eine gemeinsame Wohnung, einen idyllischen Haushalt, du und Vera Wormser loco, denn was weiß ich, was du in deiner Amtszeit tust und während der vielen Konferenzen bis tief in die Nacht, und Kinder habt ihr auch miteinander, zwei oder vielleicht sogar drei... Und die Wohnung hab ich gesehn, auf mein Wort, irgendwo in Döbling, in der Nähe des Kuglerparks oder des Wertheimsteinparks, damit die Kinder immer frische Luft haben, ich war direkt drin in dieser anheimelnden Wohnung, die du dem Weib eingerichtet hast, und ich hab so manche Kleinigkeit wiedergefunden, die ich vermisse, und deine Kinder hab ich auch gesehn, richtig, es waren drei, so halbwüchsige Bankerte, widerliche, und sie sind um dich herumgesprungen und haben dich manchmal ›Onkel‹ genannt und manchmal ganz schamlos ›Papa‹, und du hast sie ihre Schulaufgaben abgehört, und das Kleinste ist auf dir herumgeklettert, denn du warst ein glücklicher Papa, wie er im Buch steht. Und das alles hab ich erleben und erdulden müssen in meinem gefangenen Kopf unterm Ondulierhelm, und ich durfte nicht davonlaufen, sondern mußte noch freundliche Antworten geben, wenn der seifige Patron kam, um mich zu unterhalten, Frau Sektionschef sehen blendend aus,

werden Frau Sektionschef am Schönbrunner Ko-
stümfest teilnehmen, als junge Kaiserin Maria The-
resia müßten Frau Sektionschef erscheinen, im Reif-
rock und hoher weißer Perücke, keine Dame der
Hocharistokratie kann mit Frau Sektionschef kon-
kurrieren, der Herr Sektionschef wird begeistert
sein – und ich konnte ihm nicht sagen, daß ich den
Herrn Sektionschef gar nicht begeistern will, weil er
ein Lump ist und ein glücklicher Papa in Döbling . . . Sag kein Wort, laß mich beichten, denn das
Schlimmste kommt erst. Ich habe dich nicht nur
gehaßt, León, ich habe mich grauenhaft vor dir
gefürchtet. Dein Doppelleben stand vor mir, wie,
wie, ach ich weiß nicht wie, zugleich aber León, war
ich so ungeheuer sicher, wie ich's mir jetzt gar nicht
mehr vorstellen kann, daß du mich umbringen
willst, weil du mich ja auf alle Fälle loswerden
mußt, denn die Vera Wormser darfst du nicht umbringen, sie ist die Mutter deiner Kinder, das sieht
jeder ein, ich aber bin mit dir nur durch den Trau-
schein verbunden, durch ein Stück Papier, folglich
wirst du mich umbringen, und du machst es äußerst
geschickt, mit einem ganz langsamen Gift, in täglichen Dosen, am besten in den Salat getropft, wie
man es von den Renaissancemenschen gelernt hat,
den Borgias, usw. Man spürt fast gar nichts, wird
aber blutarmer und bleichsüchtiger von Tag zu Tag,
bis es aus ist. Oh, ich schwör dir's, León, ich habe

mich im Sarg liegen sehn, wundervoll von dir aufge-
bahrt, und so jung war ich und entzückend mit
meinen frisch gewellten Haaren, ganz in Weiß,
fließender plissierter Crêpe de Chine, glaub aber ja
nicht, daß ich das ironisch sage oder Witze mache,
denn das Herz ist mir gebrochen, als ich zu spät und
schon als Tote erkannt hab, daß mein Heißgeliebt-
ter, mein Heißgeglaubter ein heimtückischer Frau-
enmörder ist. Und dann sind sie alle gekommen,
selbstverständlich, die Minister und der Bundesprä-
sident und die Spitzen der Behörden und die Kory-
phäen der Gesellschaft, um dir ihr Beileid auszu-
sprechen, und deine Haltung war gräßlich tadellos,
denn du warst im Frack, wie das erste Mal, als wir
uns begegnet sind, weißt du's noch, damals am
Juristenball, und dann bist du neben dem Bundes-
präsidenten hinter meinem Sarg gegangen, nein ge-
schritten und hast der Vera Wormser zugezwinkert,
die mit ihren Kindern auf einer Festtribüne zuge-
schaut hat . . . So, und jetzt stell dir's nur vor, León,
mit diesen Bildern im Kopf bin ich nach Hause
gekommen und finde dich vor meinen Briefen, was
noch nie in diesen zwanzig Jahren geschehen ist.
Ich hab meinen Augen nicht getraut, und das war
kein Hirngespinst mehr, denn du warst nicht du,
sondern ein völlig Fremder, der Mann mit dem
Doppelleben, der Gatte der anderen, der Gentle-
man-Schwindler, wenn er unbeobachtet ist. Ich

weiß nicht, ob du mir wirst verzeihen können, aber in diesem Augenblick hat's wie der Blitz in mich eingeschlagen: Er will nichts andres, als sich nach meinem Tode das große Vermögen sichern. Ja, León, genau so hast du ausgeschaut, oben vor meinem Schreibtisch mit der offenen Schublade, wie ein ertappter Testamentfälscher und Erbschaftsschnüffler. Und ich hab doch noch nie daran gedacht, ein Testament zu machen. Und alles gehört ja dir. Schweig! Laß mich das alles sagen, alles, alles! Nachher mußt du mich strafen, als mein harter Beichtvater. Gib mir eine fürchterliche Buße auf! Geh nächstens z. B. allein zur Anita Hojos, die in dich vernarrt ist und die du mit den Augen frißt. Ich werde geduldig zu Hause bleiben und dich nicht sekkieren, denn ich weiß natürlich ganz genau, daß nicht du schuldig bist an den greulichen Einbildungen des heutigen Vormittags, sondern ich allein und der Brief dieser unschuldigen Dame Wormser, eine antipathische Schrift hat sie übrigens. Der abgefeimteste Mann kann nie so, so, da gibt's kein Wort, so träumen wie ein Weib unterm Nickelhelm beim Friseur. Und dabei bin ich nicht einmal hysterisch und sogar ziemlich intelligent, du warst einmal der Ansicht. Du mußt mich verstehn, ich habe genau gewußt, daß du kein Doppelleben führen kannst und daß dich das Geld nie interessiert hat und daß du der vornehmste Mensch bist und ein anerkannter

Jugenderzieher, und daß dich die ganze Welt ver-
ehrt und daß du hoch über mir stehst. Zugleich aber
hab ich ganz genau gewußt, daß du ein verschlage-
ner Betrüger bist und mein süßer, geliebter Giftmörder. Es war, glaub mir's, nicht Eifersucht, es
kam wie von außen in mich, es war wie eine Inspira-
tion. Und da hab ich dir ein Glas Wasser geholt und
mit eigener Hand meinem Giftmörder das Pyramidon zum Schlucken gegeben, und mein Herz hat
geblutet vor Liebe und vor Abscheu, es ist wahr,
León, als ich mich selbst geprüft hab . . . So, jetzt
hab ich dir alles, alles gebeichtet. Was da heut in mir
vorgegangen ist, ich versteh's nicht. Kannst du mir's
vielleicht erklären?«
Ohne aufzublicken, ohne Absatz und Punkt, und
immer in die Erde hinein, so hatte Amelie ihre
Beichte heruntergehastet, die Leier nur manchmal
aus brennender Scham durch eine ironische Wendung unterbrechend. Niemals hatte Leonidas eine
ähnliche Selbstentschleierung angehört, noch auch
geahnt, daß diese Frau dazu fähig sei. Jetzt preßte
sie ihr Gesicht gegen seine Knie, ungehemmt flos-
sen ihre Tränen. Er begann das warme Naß durch
den dünnen Stoff seiner Hose hindurch zu spüren.
Es war unangenehm und sehr rührend zugleich. Du
hast recht, mein Kind! Eine echte Eingebung war's,
die dich heute am Morgen angefallen und den ganzen Vormittag nicht mehr losgelassen hat. Veras

Brief hat dich inspiriert. Wie nah bist du um die Flamme der Wahrheit herumgeflattert! Deine Hellsicht kann ich dir nicht erklären. Das heißt, ich müßte jetzt endlich reden. Ich müßte anfangen: Du hast recht, mein Kind. So merkwürdig es ist, du hast eine echte Eingebung gehabt ... Aber kann ich jetzt so reden? Könnte ein weit charaktervollerer Mensch als ich jetzt so reden?

»Es ist wirklich nicht sehr hübsch von dir«, sagte er laut, »was sich da deine alte Eifersucht gegen mich zusammengeträumt hat. Aber als Pädagoge bin ich schließlich von Amts wegen ein bißchen Seelenkenner. Ich spür schon längst deinen gereizten Zustand. Wir leben bald zwanzig Jahre nebeneinander und haben nur ein einziges Mal eine längere Trennung erlitten, du und ich. Da kommen die unvermeidlichen Krisen, heut für den einen, morgen für den andern. Es war riesig moralisch von dir, daß du dein ehrenrühriges Unterbewußtsein gerade mir anvertraut hast. Ich beneide dich um deine Beichte. Denk dir aber, ich habe beinah schon wieder vergessen, daß ich ein Giftmörder bin und ein Testamentfälscher ...«

Die salbadernden Lügen gehen weiter. Nichts hab ich vergessen. Dienstmädchenverführer am Sonntag, das sitzt. – Amelie hob mit einem verklärt lauschenden Ausdruck ihr Gesicht:

»Ist es nicht komisch, daß man so unbeschreiblich

glücklich ist, wenn man gebeichtet hat und Absolution erhält? Nun ist auf einmal alles weg . . .«
Leonidas sah angestrengt zur Seite, während seine Hand ganz leicht ihr Haar streichelte:
»Ja, es ist wohl eine gewaltige Erleichterung, aus der Tiefe gebeichtet zu haben. Und dabei hast du nicht die leiseste Sünde begangen . . .«
Amelie stutzte. Sie blickte ihn plötzlich kühl und forschend an:
»Warum bist du so schrecklich gut, so weise, so gleichgültig, so fern, der reinste tibetanische Mönch? Wär's nicht nobler, du würdest dich durch eine eigene schlimme Beichte revanchieren? . . .«
Nobler wär es bestimmt, dachte er, und die Stille wurde sehr tief. Aber es kam nur ein unentschlossenes Räuspern aus seinem Mund. Amelie war aufgestanden. Sie puderte sich sorgfältig und schminkte die Lippen. Es war die weibliche Atempause, die einen erregenden Auftritt des Lebens beendet. Noch einmal streifte ihr Blick Veras Brief, den harmlosen Bittbrief, der auf dem Tisch lag:
»Sei nicht bös, León«, zögerte sie, »aber da ist noch eine Sache, die mich stört . . . Warum trägst du von deiner ganzen heutigen Post gerade den Brief dieser wildfremden Person in deinem Portefeuille?«
»Die Dame ist mir nicht fremd«, erwiderte er ernst und knapp, »sie ist mir aus alter Zeit bekannt. Ich war in den traurigsten Tagen meines Lebens in

ihrem Vaterhaus als Nachhilfslehrer angestellt . . .«
Er nahm das Blatt mit einer harten, ja bösen Bewegung und legte es zurück in seine Brieftasche.
»Dann solltest du etwas für ihren begabten jungen Mann tun«, sagte Amelie, und eine versonnene Wärme stand in ihren April-Augen.

Sechstes Kapitel

VERA ERSCHEINT UND VERSCHWINDET

Sofort nach Tisch verließ Leonidas sein Haus und fuhr ins Ministerium. Nun saß er da, den Kopf in die Hände gestützt, und blickte durchs hohe Fenster über die Bäume des Volksgartens hinweg, die, von perlmutterfarbenem Regen-Dunst eingeschleiert, in den wattigen Himmel ragten. Sein Herz war voll Verwunderung über Amelie und voll Bewunderung für sie. Liebende Frauen besaßen einen sechsten Sinn. Wie das schweifende Wild gegen seine Feinde, so waren auch sie mit einer sicheren Witterung ausgerüstet. Hellseherinnen waren sie der männlichen Schuld. Amelie hatte alles erraten, wenn auch, ihrer Art gemäß, übertrieben, verzerrt und falsch gedeutet. Man konnte fast argwöhnen; eine unerklärliche Verschwörung habe zwischen den beiden Frauen stattgefunden, der einen, die sich in der blaßblauen Handschrift verkörperte, und der andern, die vom flüchtigen Anblick dieser Schrift ins Herz getroffen war. In den wenigen Zeilen der Adresse hatte Vera der andern die Wahrheit zugeflüstert, die von Amelie als eine jähe Eingebung aus dem Nichts empfunden werden mußte. Welch ein

Widerspruch, daß jene Hellsichtigkeit dann vor dem trockenen Wortlaut des Briefes zuschanden wurde. Ihm aber hatte sie ahnungsvoll ahnungslos die Maske vom Gesicht gerissen. ›Dienstmädchenverführer am Sonntag!‹ Hatte er sich nicht selbst heute einen Heiratsschwindler genannt? Und war er's nicht tatsächlich in der kriminellen Bedeutung des Wortes? Von seinem Gesicht konnte Amelie es ablesen. Und er hatte doch knapp vorher dieses Gesicht im Spiegel betrachtet und nichts Gemeines darin entdeckt, sondern eine wohlgeformte Vornehmheit, die in ihm das sonderbare Mitleid mit sich selbst erweckte. Und wie war es dann gekommen, daß sein Entschluß sich ohne sein Zutun ins Gegenteil verkehrte, und nicht er beichtete, sondern sie? Ein großer, ein unverdienter Liebesbeweis, diese Beichte! Diesen radikalen, ja schamlosen Mut zur Wahrheit wie Amelie hatte er nie besessen. Das kam vermutlich von der minderen Herkunft und der einstigen Armut. Seine Jugend war erfüllt gewesen von Furcht, Auftrieb und einer zitternden Überschätzung der höheren Klasse. Er hatte sich alles krampfhaft anerziehen müssen, die Gelassenheit beim Eintritt in einen Salon, das souveräne Plaudern (man macht Konversation), das freie Benehmen bei Tisch, das richtige Maß im ›Die-Ehre-Geben‹ und ›Die-Ehre-Nehmen‹, all diese feinen und selbstverständlichen Tugenden, mit denen die

Angehörigen der Herrenkaste geboren werden. Der Fünfzigjährige kam noch aus einer Welt der gespannten Standesunterschiede. Die Kraft, welche die heutige Jugend im Sport verausgabt, hatte er für eine besondere Athletik aufwenden müssen, für die Überwindung seiner Schüchternheit und für den Ausgleich seines beständigen Mangelgefühls. Oh, unvergeßliche Stunde, da er zum erstenmal im Frack des Selbstmörders vor dem Spiegel sich als Sieger gegenüberstand! Wenn er auch jene feinen und selbstverständlichen Künste vollkommen erlernt hatte und sie seit Jahrzehnten schon unbewußt übte, so war er doch nur, was die Römer einen ›Freigelassenen‹ nannten. Ein Freigelassener besitzt nicht den natürlichen Mut zur Wahrheit wie eine geborene Paradini, nicht jene verwegene Erhabenheit über alle Scham. Amelie hatte überdies den Freigelassenen um einen Abgrund tiefer erkannt als er sich selbst. Ja, es war richtig, er fürchtete, wenn er sich zu seinem und Veras Sohn bekennen sollte, ihren Zorn, ihre Rache. Er fürchtete, sie würde sogleich den Scheidungsprozeß gegen ihn einleiten. Er fürchtete nichts mehr als den Verlust des Reichtums, den er so nonchalant genoß. Er, der edle Mann, der sich ›nichts aus dem Gelde machte‹, der hohe Beamte, der Volkserzieher, er wußte jetzt, daß er das enge Leben seiner Kollegen nicht würde ertragen können, diesen täglichen Kampf gegen die besseren Bedürfnisse und Begehrlichkeiten. Er war allzu verderbt durch das Geld und durch die angenehme Gewohnheit, sich nicht die leiseste Regung eines Wunsches abschlagen zu müssen. Wie verstand er es nun, daß so viele unter seinen Amtsgenossen der Versuchung erlagen und Schmiergelder nahmen, um ihren süchtigen Frauen dann und wann eine Freude bereiten zu können. Sein Kopf sank auf die Schreibmappe. Er empfand den brennenden Wunsch, ein Mönch zu sein und einem strengen Orden anzugehören . . .

Leonidas ermannte sich. »Man kann's nicht umgehen«, seufzte er laut und leer. Dann nahm er ein Blatt und begann ein Promemoria für Minister Vinzenz Spittelberger zu entwerfen, in welchem er die Betrauung des außerordentlichen Professors der Medizin Alexander Bloch mit der vakanten Lehrkanzel und Klinik als eine unausweichliche Notwendigkeit für den Staat zu begründen suchte. Warum er den Eigensinn weitertrieb und eine entscheidende Kraftprobe heraufbeschwören wollte, das wußte er selbst nicht. Kaum aber hatte er zehn Zeilen zu Papier gebracht, legte er die Feder hin und klingelte seinem Sekretär:

»Haben Sie die Güte, lieber Freund, und rufen Sie das Parkhotel in Hietzing an und lassen Sie Frau oder Fräulein Doktor Vera Wormser melden, ich werde sie gegen vier Uhr persönlich aufsuchen . . .«

Leonidas hatte wie immer in nervösen Augenblik-
ken mit verwischter und flacher Stimme gesprochen. Der Sekretär legte ein leeres Zettelchen vor
ihn hin:
»Darf ich den Herrn Sektionschef bitten, mir den
Namen der Dame aufzuschreiben«, sagte er. Leoni-
das glotzte ihn eine halbe Minute lang wortlos an,
dann steckte er das begonnene Memorandum in die
Mappe, schob abschiednehmend die Gegenstände
auf seinem Schreibtisch zurecht und stand auf:
»Nein, danke! Es ist nicht nötig. Ich gehe jetzt.«
Der Sekretär hielt es für seine Pflicht, daran zu
erinnern, daß der Herr Minister gegen fünf Uhr im
Hause erwartet werde. Auf Leonidas, der gerade
Hut und Mantel vom Haken nahm, schien diese
Meldung keinen Eindruck zu machen:
»Wenn der Minister nach mir fragen läßt, so sagen
Sie nichts, sagen Sie einfach, ich bin fortge-
gangen . . .«
Damit verließ er, federnden Schrittes, an dem jun-
gen Menschen vorbei, sein Amtszimmer.
Es gehörte zu den wohlbedachten Gepflogenheiten
des Sektionschefs, daß er mit seinem großen Wagen
niemals am Portal des Ministeriums vorfuhr, son-
dern, wenn er ihn überhaupt benützte, ihm schon in
der Herrengasse entstieg. Mehr als er den Neid der
Kollegen fürchtete, empfand er es (vorzüglich während der Arbeitszeit) als ›taktlos‹, seinen materiellen

Glücksstand zur Schau zu tragen und die spartanischen Grenzen des Beamtentums augenfällig zu überschreiten. Minister, Politiker, Filmschauspieler durften sich ruhig in strahlenden Limousinen spreizen, denn sie waren Geschöpfe der Reklame. Ein Sektionschef hingegen hatte (bei aller zulässigen Elegance) die Pflicht, eine gewisse karge Dürftigkeit hervorzukehren. Diese betonte Dürftigkeit war vielleicht eine der unduldsamsten Formen menschlichen Hochmuts. Wie oft hatte er mit aller gebotenen Vorsicht Amelie davon zu überzeugen gesucht, daß ihr heiter-unerschöpflicher Aufwand an Schmuck und Gewändern seiner Stellung nicht völlig entspreche. Vergebliche Predigt! Sie lachte ihn aus. Hierin lag einer der Lebenskonflikte, die Leonidas oft verwirrten ... Diesmal fuhr er mit der Straßenbahn, die er in der Nähe des Schönbrunner Schlosses verließ.

Der Regen hatte schon vor einer Stunde nachgelassen und jetzt völlig aufgehört. Es war aber nur wie die schleppende Pause in einer Krankheit, wie das trübe Loch der Schmerzlosigkeit zwischen zwei Anfällen. Der Wolkentag hing naß und schlapp auf Halbmast, und jede der seltsam verlangsamten Minuten schien zu fragen: Bis hierher wären wir gekommen, doch was nun? Leonidas spürte in allen Nerven die entscheidende Veränderung, die seit heute morgen die Welt hatte erdulden müssen. Er wurde sich jedoch über die Ursache dieser Veränderung erst klar, als er durch die breite, von Platanen flankierte Straße, längs der hohen Schloßmauer dahineilte. Unter seinen Füßen schwang höchst unangenehm ein dick vollgesogener Teppich von gefallenem Laub. Die jäh verfärbten Platanenblätter waren so korporell aufgeschwemmt und schnalzten unter jedem Tritt, daß man hätte wähnen können, ein Wolkenbruch von Kröten sei niedergegangen. Seit wenigen Stunden war mehr als die Hälfte des Laubes von den Bäumen geweht, und der Rest hing schlaff an den Ästen. Was heute allzujung als Aprilmorgen begonnen hatte, endete im Handumdrehen allzualt als Novemberabend.

Im Blumengeschäft an der nächsten Straßenecke schwankte Leonidas unerlaubt lange zwischen weißen und blutroten Rosen. Er entschied sich endlich zu achtzehn langstieligen hellgelben Teerosen, deren sanfter, ein wenig fauliger Duft ihn anzog. Als er dann in der Hotelhalle sich bei Frau Doktor Wormser anmelden ließ, erschrak er plötzlich über die verräterische Zahl ›achtzehn‹, die er ganz unbewußt gewählt hatte. Achtzehn Jahre! Auch fiel ihm jener ominöse Rosenstrauß ein, den er als lächerlich Verliebter der kleinen Vera einst mitgebracht hatte, ohne den Mut zu finden, ihn zu überreichen. Nun war's ihm, als seien es damals ebenfalls hellgelbe Teerosen gewesen und sie hätten genau so geduftet, so sanft, so rund, wie die Blume eines paradiesischen Weines, den es auf Erden nicht gibt.

»Madame läßt Herrn Sektionschef bitten, hier zu warten«, sagte der Portier unterwürfig und begleitete den Gast in eines der Gesellschaftszimmer zu ebener Erde. Man kann von einem Hotelsalon nichts Besseres erwarten, beruhigte Leonidas sich selbst, dem die dämmrige Räumlichkeit samt ihrer Einrichtung ungewöhnlich auf die Nerven fiel. Es ist scheußlich, die Geliebte seines Lebens in der öffentlichen Intimität dieses Allerwelts-Wohnzimmers wiederzusehen, jede Bar wäre besser, ja selbst ein bummvolles Kaffeehaus mit Musik. Daß Vera wirklich und wahrhaftig die ›Geliebte seines Lebens‹ gewesen sei, dessen empfand Leonidas jetzt eine ganz unbegründete Sicherheit.

Das Zimmer war vollgestopft mit lauter gewichtigen Möbelstücken. Sie ragten wie mürrische Festungen einer verschollenen Repräsentation ins Ungewisse. Sie standen da wie eine vom Ausrufer verlassene Versteigerung, in die sich für ein Stündchen oder zwei vorüberschlendernde Zufallsgäste einnisten. Üppige Sitzgarnituren, japanische Schränke, lampentragende Karyatiden, ein orientalisches Kohlenbecken, geschnitzte Truhen, Tabourets usw. An der Wand dehnte sich ein keusch verhüllter Flügel. Die Plüschdecke, die ihn von oben bis unten verhing, war schwarz. Er glich daher einem Katafalk für tote Musik. Das Bahrtuch war außerdem noch mit allerlei Gegenständen aus Bronze und Marmor beschwert, auch sie wie zum Verkauf aneinandergereiht: Ein trunkener Silen, der eine Visitenkartenschale balanciert, eine geschmeidige Tänzerin ohne ersichtlich praktischen Zweck, ein prunkvolles Tintenzeug, groß und ernst genug, um bei Unterschrift eines Friedensvertrages Dienst zu tun, und dergleichen mehr, das hier die Aufgabe zu haben schien, die tote oder scheintote Musik am Entweichen zu hindern. Leonidas faßte den Verdacht, dieses Klavier sei ausgeweidet und nur eine ehrbare Attrappe, denn ein lebendiges Instrument würde die Leitung des Hotels beim täglichen Tanztee verwenden, dessen Zurüstung draußen vernehmbar wurde. Lebendig in diesem Raum waren nur die beiden aufgeklappten Spieltische, auf denen noch die Bridgekarten dalagen, ein Bild behaglicher Zerstreuung und ungetrübter Seelenruhe, das den neidischen Blick immer wieder anzog. Leonidas war selbstverständlich ein Meister dieses Spiels ... Er ging beständig auf und ab, wobei er sich zwischen den kantigen Vorgebirgen der Möbel und Tische durchschlängeln mußte. Noch immer hielt er die in Seidenpapier verpackten Rosen in der Hand, obwohl er fühlte, daß die empfindsamen Blüten unter seiner Körperwärme zu ermüden begannen. Er besaß aber die Willenskraft nicht, sie fortzule-

gen. Auch ging der schwache Duft mit ihm und tat
ihm wohl. Im gleichmäßigen Auf und Ab stellte er
fest: Mein Herz klopft. Ich erinnere mich nicht
mehr, wann mir das Herz zum letzten Male so
fühlbar geklopft hat. Dieses Warten erregt mich
sehr. – Er stellte ferner fest: Ich habe nicht einen
einzigen Gedanken im Kopf. Dieses Warten füllt
mich ganz aus. Es ist mir nicht klar, wie ich beginnen werde. Ich weiß nicht einmal, wie ich Vera
ansprechen soll. – Und endlich: Sie läßt mich sehr
lange warten. Kein Minister läßt mich so lange
warten. Es ist schon mindestens zwanzig Minuten,
daß ich in diesem abscheulichen Salon hin- und
herrenne. Ich werde aber keinesfalls auf die Uhr
schauen, damit es mir unbekannt bleibe, wie lange
ich schon warte. Es ist natürlich Veras gutes Recht,
mich warten zu lassen, so lange es ihr richtig
scheint. Wahrhaftig, eine winzige Strafe. Ich darf's
mir gar nicht vorstellen, wie sie auf mich gewartet
hat, in Heidelberg, Wochen, Monate, Jahre . . . Er
unterbrach seinen Rundgang nicht. In der Halle
pochte die Tanzmusik. Leonidas fuhr zusammen:
Auch das noch! Am besten wär's, sie käme überhaupt nicht. Ich würde ruhig eine volle Stunde hier
warten, auch zwei Stunden und dann weggehen,
ohne ein Wort zu sagen. Ich hätte das meinige getan
und müßte mir keine Vorwürfe mehr machen. Hoffentlich kommt sie nicht. Es dürfte ja auch für sie

keine geringe Unannehmlichkeit sein, mich wiederzusehen. Mir ist zumute, wie vor einer schweren
Prüfung oder gar vor einer Operation ... So, jetzt
ist sicher eine halbe Stunde vorüber. Ich nehme an,
daß sie das Hotel verlassen hat, um mir nicht zu
begegnen. Nun, ich warte meine Stunde aus. Dieses
Jazz-Geräusch ist übrigens gar nicht so störend. Es
scheint die Zeit zu beschleunigen. Und dunkel
wird's auch ...

Der dritte Tanz war draußen im Gange, als die
kleine zierliche Dame unversehens im Salon
stand:

»Ich mußte Sie etwas warten lassen«, sagte Vera
Wormser, ohne diesen Satz durch eine Entschuldigung zu begründen, und reichte ihm die Hand.
Leonidas küßte die sehr gebrechliche Hand im
schwarzen Handschuh, lächelte begeistert mokant
und begann auf den Zehenspitzen zu wippen:

»Aber bitte«, näselte er, »das macht gar nichts ...
Ich habe mich heut eigens ...« Und er fügte zaghaft
hinzu: »Gnädigste ...«

Damit übergab er ihr den Strauß, ohne ihn aus dem
Papier gewickelt zu haben. Mit gelassenem Griff
befreite sie die Teerosen. Sie tat es aufmerksam und
ließ sich Zeit. Dann sah sie sich in diesem fremden
häßlichen Raum nach einem Gefäß um, fand sogleich eine Vase, ein Krug mit Trinkwasser stand
auf einem der Spieltische, sie füllte die Vase vorsich-

tig und steckte, eine nach der andern, die Rosen hinein. Das Gelb flammte im Zwielicht. Die Frau sagte nichts. Die kleine Arbeit schien sie völlig auszufüllen. Ihre Bewegungen waren von innen her gesammelt, wie es bei Kurzsichtigen der Fall zu sein pflegt. Sie trug die Vase mit den sanften Rosen zur Sitzgarnitur beim Fenster, stellte sie auf das runde Tischchen und ließ sich, mit dem Rücken gegen das Licht, in einer Sofaecke nieder. Das Zimmer war verändert. Auch Leonidas setzte sich, nachdem er vorher mit einer ziemlich sinnlosen (korpsstudentischen) Verbeugung um Erlaubnis gebeten hatte. Unglücklicherweise blendete ihn der weißliche Nebelschein des späten Tages im Fenster.

»Gnädige haben gewünscht...« begann er mit einem Ton, vor dem ihm selbst ekelte, »ich bekam erst heute früh den Brief und bin sofort ... und habe sofort ... Selbstverständlich steh ich voll und ganz zur Verfügung...«

Es verging erst eine kleine Weile, ehe die Antwort aus der Sofaecke kam. Die Stimme war noch immer hell, noch immer kindlich und auch den abweisenden Klang schien sie behalten zu haben:

»Sie hätten sich nicht persönlich bemühen müssen, Herr Sektionschef«, sagte Vera Wormser, »ich hab's gar nicht erwartet... Ein telephonischer Anruf hätte genügt...«

Leonidas machte eine teils bedauernde, teils erschrockene Handbewegung, als wollte er sagen, seine Pflicht geböte ihm, für die Gnädigste unter allen Umständen weit größere Strecken zurückzulegen als jene vom Ministerium für Kultus und Unterricht am Minoritenplatz zum Parkhotel in Hietzing. Hier hatte die durchaus nicht lebhafte Konversation einen Einschnitt und Veras Gesicht seine erste Station erreicht. Damit aber verhielt es sich folgendermaßen. Nicht nur das Erinnerungsbild der Geliebten war in Leonidas seit Jahren verstört, auch seine stark astigmatischen Augen spiegelten in trüben Räumen und zumal in erregten Minuten das Gesehene anfangs nur in verschwommenen Flächen wider. Bisher hatte also Vera noch kein Gesicht gehabt, sondern nur ihre zierliche Gestalt in einem grauen Reisekostüm, von dem sich eine lila Seidenbluse und eine Halskette aus goldbraunen Ambrakugeln ungenau abhob. So zierlich mädchenhaft diese Gestalt auch war, so erschien sie eben doch nur ›mädchenhaft‹, gehörte aber einer zarten Person unbestimmten Alters an, in der Leonidas die Geliebte von Heidelberg nicht wiedererkannt hätte. Jetzt erst begann Veras Gesicht die leere helle Fläche zu durchdringen, und zwar wie aus weiter Ferne her. Jemand schien an der Schraube eines Feldstechers unkundig hin und her zu drehen, um ein entlegenes Ziel in die schärfere Einstellung zu bekommen. So etwa war's. Zuerst trat das Haar in

die noch immer trübe Linse, das nachtschwarze Haar, glatt anliegend und in der Mitte gescheitelt. (Waren das graue Fäden und Strähnen, die es durchzogen, wenn man den Blick darauf ruhen ließ?) Dann brachen die Augen durch, diese kornblumentiefe Farbe, von langen Wimpern beschattet wie einst. Ernst, forschend und erstaunt blieben sie auf Leonidas gerichtet. Der ziemlich große Mund hatte einen strengen Ausdruck, wie man ihn an Frauen bemerkt, die schon lange einen Beruf ausüben und deren geschultes Denken selten durch untergeordnete Phantasien durchkreuzt wird. Welch ein Gegensatz zu der schmollenden Fülle, die Amelies Lippen so oft anzunehmen verstanden. Leonidas erkannte plötzlich, daß Vera sich für ihn nicht schön gemacht hatte. Sie hatte die Zeit, die sie ihn warten ließ, nicht dazu benützt, sich ›herzurichten‹. Ihre Augenbrauen waren nicht ausgezupft und nachgezogen (oh, Amelie), ihre Lider nicht mit blauer Tusche verdunkelt, ihre Wangen nicht geschminkt. Vielleicht war einzig ihr Mund mit dem Lippenstift ein wenig in Berührung gekommen. Was hatte sie getan in der Stunde seines Wartens? Wahrscheinlich, so dachte er, aus dem Fenster gestarrt . . .
Veras Gesicht war nun fertig, und doch, Leonidas erkannte noch immer nicht das verwehrte Bild. Dieses Gesicht glitt nur einer ungefähren Repro-

duktion, einer Übersetzung des verlorenen Antlitzes in die Fremdsprache einer anderen Wirklichkeit. Vera schwieg gelassen und hartnäckig. Er aber, alles eher als gelassen, bemühte sich bei der Fortsetzung der ›Konversation‹, das zu finden, was er sonst den ›entsprechenden Ton‹ nannte. Er fand ihn nicht. Welcher Ton auch hätte einer solchen Begegnung entsprechen können? Mit Entsetzen hörte er sich wiederum näseln und völlig unecht einen landesüblichen Grandseigneur nachahmen, der mit impertinenter Sicherheit sich der peinlichsten Lage gewachsen zeigt:

»Gnädigste werden hoffentlich jetzt längere Zeit bei uns bleiben . . .«

Nach diesen Worten sah ihn Vera noch um einen Schatten verwunderter an. Jetzt kann sie es nicht fassen, daß sie jemals auf so ein plattes Subjekt hereingefallen ist, wie ich es bin. Ihre Gegenwart hat von jeher meine Schwächen herausgefordert. Seine Hände wurden kalt vor Mißbehagen. Sie entgegnete:

»Ich bleibe nur mehr zwei bis drei Tage hier, bis ich alles erledigt hab . . .«

»Oh«, sagte er mit einem fast erschrockenen Klang, »und dann kehren Gnädigste wieder nach Deutschland zurück?« Er konnte es nicht verhindern, daß in der Kadenz dieser Frage eine Spur von Erleichterung nachtönte. Jetzt sah er zum erstenmal, daß die klare elfenbeinerne Stirn der Dame voll von geraden Falten war.

»Nein! Ganz im Gegenteil, Herr Sektionschef«, gab sie zurück, »ich gehe nicht wieder nach Deutschland . . .«

Etwas in ihm erkannte nun ihre Stimme, die schnippisch unerbittliche Stimme der Fünfzehnjährigen am Vatertisch. Er machte eine um Entschuldigung bittende Geste, als sei ihm ein unverzeihlicher Schnitzer unterlaufen:

»Pardon, Gnädige, ich verstehe. Es muß jetzt nicht besonders angenehm sein, in Deutschland zu leben . . .«

»Warum? Für die meisten Deutschen ist es sehr angenehm«, stellte sie kühl fest, »nur für unsereins nicht . . .«

Leonidas nahm einen patriotischen Anlauf.

»Da sollten Gnädige doch daran denken, in die alte Heimat zu übersiedeln . . . Bei uns beginnt sich jetzt manches zu rühren . . .«

Die Dame schien andrer Meinung zu sein. Sie lehnte ab:

»Nein, Herr Sektionschef. Ich bin zwar nur kurze Zeit hier und maße mir kein Urteil an. Aber endlich möchte auch unsereins freie und reine Luft atmen . . .«

Also da wäre er wieder, der alte Hochmut dieser Leute, die empörende Überheblichkeit. Selbst dann, wenn man sie in den Keller gesperrt hat, tun sie so, als würden sie vom siebenten Stockwerk auf uns herunterblicken. Gewachsen sind ihnen wirklich nur die primitiven Barbaren, die mit ihnen nicht diskutieren, sondern sie ohne viel Federlesens niederknüppeln. Ich sollte heute noch Spittelberger aufsuchen und ihm den Abraham Bloch opfern. Freie und reine Luft. Sie ist geradezu undankbar gegen mich. Leonidas empfand die mißbilligende und ärgerliche Regung seines Herzens als Wohltat. Sie entlastete ihn ein wenig. Zugleich aber hatte das Antlitz der Dame in der Sofaecke eine neue Station erreicht, und zwar die endgültige. Nun war's keine Reproduktion mehr oder Übersetzung, sondern das Original selbst, wenn auch verschärft und nachgedunkelt. Und siehe, es bewahrte noch immer jenes herbe Licht der Reinheit und Fremdartigkeit, das einst den armen Hauslehrer und später den jungen Ehemann einer andern um den Verstand gebracht hatte. Reinheit? Kein Gedanke hinter dieser weißen Stirn, man fühlte es, war nicht übereingestimmt mit dem ganzen Wesen. Nur noch härter und wunschloser als einst trat sie zutage. Fremdartigkeit? Wer konnte sie ausdrücken? Die Fremdartigkeit war noch fremdartiger geworden, wenn auch weniger hold.

Die Tanzmusik grölte von neuem auf. Leonidas mußte seine Stimme erheben. Ein sonderbarer

Zwang formte seine Worte. Sie klangen trocken und gespreizt, zum Aus-der-Haut-Fahren:

»Und wohin wollen Gnädigste den Wohnsitz verlegen?«

Bei ihrer Antwort schien Vera Wormser tief aufzuatmen:

»Übermorgen bin ich in Paris und am Freitag geht mein Schiff von Le Havre . . .«

»Gnädige reisen also nach New York«, sagte Leonidas ohne Fragezeichen und nickte zustimmend, ja belobend.

Sie lächelte schwach, als amüsiere es sie, daß sie auch heute sattsam zum Widerspruch komme, denn bisher hatte sie fast jede ihrer Erwiderungen mit einem ›Nein‹ einleiten müssen.

»Oh, nein! New York? Gott behüte, das ist nicht so einfach. So hoch will ich gar nicht hinaus. Ich gehe nach Montevideo . . .«

»Montevideo«, strahlte Leonidas mit albernem Ton, »das ist ja entsetzlich weit . . .«

»Weit von wo?« fragte Vera ruhig. Sie zitierte damit die melancholische Scherzfrage der Exilierten, die ihren geographischen Schwerpunkt verloren haben.

»Ich bin ein eingefleischter Wiener«, gestand Leonidas, »was sag ich, ein eingefleischter Hietzinger. Für mich wär's schon ein schwerer Entschluß, in einen anderen Bezirk zu übersiedeln. Ein Leben dort

unten am Äquator? Ich wär todunglücklich, trotz
aller Kolibris und Orchideen . . .«
Das Frauengesicht im Zwielicht wurde noch um
einen Grad ernster:
»Und ich bin sehr glücklich, daß man mir in Montevideo eine Lehrstelle angetragen hat. An einem
großen College dort. Viele beneiden mich. Unsereins muß hoch zufrieden sein, wenn er irgendwo
Zuflucht findet und sogar eine Arbeit . . . Aber all
das ist für Sie ja gar nicht interessant . . .«
»Nicht interessant«, fiel er ihr erschrocken ins
Wort. »Nichts auf der Welt ist interessanter für
mich . . .« Und er schloß leise: »Ich kann Ihnen gar
nicht sagen, wie ich Sie bewundere . . .«
Das ist diesmal keine Lüge. Ich bewundere sie
wirklich. Sie hat den großartigen Lebensmut und
die abscheuliche Ungebundenheit ihrer Rasse. Was
wäre aus mir geworden an ihrer Seite? Vielleicht
wär tatsächlich was geworden aus mir. Jedenfalls
etwas ganz und gar andres als ein Sektionschef
knapp vor der Pensionierung. Vertragen aber hätten
wir uns keine einzige Stunde. – Seine Betroffenheit
wurde immer größer. Plötzlich drängte sich in den
Raum ein hellerer anderer. Das Zimmer, das sie in
Bingen am Rhein bewohnt hatten. – Alles steht an
seinem Platz, meiner Treu, ich sehe den altertümlichen Kachelofen. – Es war, als fielen ihm die Schup-
pen von den Augen der Erinnerung.

»Was ist da zu bewundern?« hatte Vera ungehalten gefragt.

»Ich mein, Sie lassen doch alles zurück, hier in der Alten Welt, wo Sie geboren sind, wo Sie Ihr ganzes Leben zugebracht haben . . .«

»Ich lasse gar nichts zurück«, erwiderte sie trocken. »Ich stehe allein, ich bin zum Glück nicht verheiratet . . .«

War das eine neue Last auf der Waagschale? Nein! Leonidas empfand dieses ›Ich bin nicht verheiratet‹ als einen leisen Triumph, der ihm wohlig die Adern durchprickelte. Er lehnte sich weit zurück. Länger durfte man nicht mehr Konversation machen. Die Worte kamen ein wenig stockend von seinen Lippen:

»Ich glaubte, Sie hätten für jenen jungen Mann zu sorgen . . . So wenigstens hab ich Ihren Brief verstanden . . .«

Vera Wormser belebte sich jäh. Sie änderte ihre Haltung. Sie beugte sich vor. Ihm war's, als ob ihre Stimme errötete:

»Wenn es möglich wäre, daß Sie mir in diesem Falle helfen, Herr Sektionschef . . .«

Leonidas schwieg recht lange, ehe es ohne jedes Bewußtsein warm und tief aus ihm hervordrang:

»Aber Vera, das ist doch selbstverständlich . . .«

»Nichts auf der Welt ist selbstverständlich«, sagte sie und begann ihre Handschuhe auszuziehen. Es war wie ein sanftes Entgegenkommen, wie der gutwillige Versuch, ein übriges zu tun und mit ein wenig mehr von sich selbst anwesend zu sein. Und nun sah Leonidas die kleinen überzarten Hände, diese vertrauensvollen Partner des einstigen Hand-in-Hand. Die Haut war ein bißchen gelblich und die Adern traten hervor. Auf keinem Finger ein Ring.

Die Stimme des Mannes vibrierte:

»Es ist hundertmal selbstverständlich, Vera, daß ich Ihren Wunsch erfülle, daß ich den jungen Mann auf dem besten Gymnasium hier unterbringe, bei den Schotten, wenn's Ihnen recht ist, das Semester hat kaum begonnen, er wird schon übermorgen in die Abiturientenklasse eintreten können. Ich werde mich um ihn kümmern, ich werde sorgen für ihn, so gut ich kann . . .«

Ihr Gesicht kam noch näher. Die Augen leuchteten:

»Wollen Sie das wirklich tun? . . . Ach, dann fällt mir's noch viel leichter, Europa zu verlassen . . .«

Sein sonst so wohlgeordnetes Gesicht war ganz auseinandergefallen. Er hatte flehende Hundeaugen:

»Warum beschämen Sie mich, Vera? Merken Sie nicht, wie es in mir aussieht . . .«

Er schob seine Hand an die ihre heran, die auf dem Tisch lag, wagte es aber nicht, sie zu berühren:

»Wann werden Sie mir den Jungen schicken? Erzählen Sie etwas von ihm! Sagen Sie, wie heißt er mit dem Vornamen . . .«

Vera sah ihn groß an:

»Er heißt Emanuel«, sagte sie zögernd.

»Emanuel? Emanuel? Hat nicht Ihr seliger Herr Papa Emanuel geheißen? Es ist ein schöner und nicht abgegriffener Name. Ich erwarte Emanuel morgen um halb elf Uhr bei mir, das heißt natürlich im Ministerium. Es wird nicht ohne Konflikt abgehen. Es wird sogar die schwersten Konflikte geben. Ich aber bin bereit, sie auf mich zu nehmen, Vera. Ich bin zu den einschneidendsten Entschlüssen bereit . . .«

Sie schien plötzlich wieder kühl zu werden und sich zurückzuziehen:

»Ja, ich weiß«, sagte sie, »man hat mir schon von diesen Schwierigkeiten berichtet, die sich in Wien sogar einer so hohen Protektion heute in den Weg stellen . . .«

Er hatte nicht recht hingehört. Seine Finger waren ineinander verkrampft:

»Denken Sie nicht an diese Schwierigkeiten! Sie haben zwar keinen Grund, meinen Schwüren zu glauben, aber ich gebe Ihnen mein Wort, die Sache wird geregelt werden . . .«

»Es liegt doch ganz in Ihrer Macht, Herr Sektionschef . . .«

Leonidas senkte seine Stimme, als wünsche er Geheimnisse zu erfahren:

»Erzählen Sie, erzählen Sie mir von Emanuel, Vera! Er ist hochbegabt. Das kann ja nicht anders sein. Worin liegt seine Stärke?«

»In den Naturwissenschaften, glaub ich . . .«

»Das hätte ich mir denken können. Ihr Vater war ja ein großer Naturwissenschaftler. Und wie ist Emanuel sonst, ich meine, äußerlich, wie sieht er aus? . . .«

»Er sieht nicht so aus«, erwiderte Fräulein Wormser mit einer gewissen Schroffheit, »daß er Ihrer Protektion Schande machen wird, wie Sie vielleicht fürchten . . .«

Leonidas blickte sie verständnislos an.

Er hielt die Faust fest gegen die Magengrube gepreßt, als könne er dadurch seine Erregung bemeistern:

»Ich hoffe«, stieß er hervor, »daß er Ihnen ähnlich sieht, Vera!«

Ihre Blicke füllten sich langsam mit einem begreifenden Vergnügen. Sie zog die Ungewißheit hinaus:

»Warum soll Emanuel gerade mir ähnlich sehen?«

Leonidas war so bewegt, daß er flüsterte:

»Ich war von jeher überzeugt, daß er Ihr Ebenbild ist . . .«

Nachdem sie eine lange Pause ausgekostet hatte, sagte Vera endlich:

»Emanuel ist der Sohn meiner besten Freundin . . .«

»Der Sohn Ihrer besten Freundin«, stotterte Leonidas, ehe er's noch erfaßte. Draußen die Musik begann einen schlenkernden Rumba, überlaut. Auf Veras Zügen breitete sich eine erschreckende Härte aus:

»Meine Freundin«, sagte sie und man merkte, daß sie sich zur Ruhe zwang, »meine beste Freundin ist vor einem Monat gestorben. Sie hat ihren Mann, einen der bedeutendsten Physiker, nur um neun Wochen überlebt. Man hat ihn zu Tode gemartert. Emanuel ist das einzige Kind. Er wurde mir anvertraut . . .«

»Das ist ja grauenhaft, ganz grauenhaft«, brach Leonidas das kurze Schweigen. Er spürte aber keinen Anhauch dieses Grauens. Sein Wesen füllte sich vielmehr mit Staunen, mit Erkenntnis und schließlich mit unbeschreiblicher Erleichterung: Ich habe kein Kind mit Vera. Ich habe keinen siebzehnjährigen Sohn, den ich vor Amelie und vor Gott verantworten muß. Dank dir, gütiger Himmel! Alles bleibt beim alten. All meine Angst, all mein Leiden heute waren pure Geisterseherei. Ich bin nach achtzehn Jahren einer betrogenen Geliebten wiederbegegnet. Weiter nichts! Eine schwierige Situation, teils peinlich, teils melancholisch. Aber von einer unsühnbaren Schuld zu sprechen, das wäre übertrieben, hoher Gerichtshof! Unter Männern, ich bin kein Don Juan, es ist die einzige derartige Geschichte in einem sonst ziemlich untadeligen Leben. Wer wirft den ersten Stein auf mich? Vera selbst denkt nicht mehr daran, diese moderne, selbständige, radikal freisinnige Frau, die mitten im tätigen Leben steht und heilsfroh ist, daß ich sie damals nicht zu mir geholt hab . . .

»Grauenhaft, was alles geschieht«, sagte er noch einmal, aber es klang fast wie Jubel. Er sprang auf, beugte sich über Veras Hand und drückte mit brennenden Lippen einen langen Kuß auf sie. Er war auf einmal voll tönender Beredsamkeit:

»Ich gebe Ihnen mein heiliges Versprechen, Vera, der Sohn Ihrer armen Freundin wird von mir gehalten werden wie Ihr eigener Sohn, wie mein eigener Sohn. Danken Sie mir nicht. Ich habe Ihnen zu danken. Sie machen mir das großmütigste Geschenk . . .«

Vera hatte ihm nicht gedankt. Sie hatte kein Wort gesprochen. Sie stand in verabschiedender Haltung da, als wolle sie es verhüten, daß dieses Gespräch eine heilige Grenze überschreite. Es war schon recht dunkel in dem vollgestopften Salon. Die Ungeheuer der Möbel zerschmolzen zu formlosen Massen. Den unechten Regendämmerungen dieses

Oktobertages war die echte Dämmerung des Abends gefolgt. Nur die Teerosen strahlten noch immer ein stetiges Licht aus. Leonidas fühlte, es wäre am geschicktesten, sich jetzt davonzumachen. Alles Sagbare war ja gesagt. Jeder weitere Schritt mußte auf moralisches Rutschgebiet führen. Veras steife fremde Haltung verbot die geringste sentimentale Anspielung. Der einfachste ›Takt‹ erforderte es, sich unverzüglich loszulösen und ohne jeden schweren Ton zu empfehlen. Da die Frau jene Episode aus ihrem Leben gestrichen hatte, warum sollte er selbst auf sie zurückkommen? Er sollte sich im Gegenteil freuen, daß die gefürchtete Stunde so glimpflich verlaufen war, und rasch einen würdigen Abschluß suchen. Doch vergeblich warnte Leonidas sich selbst. Allzusehr war er aufgewühlt. Das Glück, sich von jedem Lebenskonflikt befreit zu wissen, durchströmte ihn wie Genesung, wie Verjüngung. Nicht mehr sah er die kleine zierliche Dame seiner Gewissensqual vor sich, die Wiedergefundene einer alten Schuld, sondern eine Vera voll Gegenwart, die er nicht mehr fürchtete. Da von ihm der Zwang gewichen war, sein Leben zu ändern, schoß in seine Nerven die spielerische Überlegenheit zurück, die er am Morgen verloren hatte. Und mit ihr eine kurzatmige, aber verrückte Zärtlichkeit für dieses Weib, das wie eine Geistererscheinung aufgetaucht war, um für ewig aus seinem Schuldgefühl zu entschwinden, ernst, edel und ohne den leisesten Anspruch. Er packte ihre gewichtslosen Hände und drückte sie gegen seine Brust. Ihm war, als knüpfe er jetzt sein Erlebnis dort an, wo er es vor achtzehn Jahren so schnöde abgebrochen hatte:

»Vera, liebste, liebste Vera«, stöhnte er, »ich stehe schlimm vor Ihnen da. Worte, die das ausdrücken, gibt's nicht. Haben Sie mir verziehen? Konnten Sie verzeihen? Können Sie verzeihen?«

Vera sah zur Seite, indem sie den Kopf kaum merkbar abwandte.

Wie lebte diese kleine abweisende Drehung in seiner Seele! Unbegreiflich, nichts war verloren. Alles ging in mystischer Gleichzeitigkeit vor sich. Ihr Profil war für ihn eine Offenbarung. Die Tochter Doktor Wormsers, das Mädchen von Heidelberg, hier stand es leibhaftig, nicht mehr vom Gedächtnis verwischt. Und die graue Strähne, der verzichtende Mund, die Falten auf der Stirn, sie erhöhten bittersüß die flüchtige Entzückung:

»Verzeihen«, nahm Vera seine Frage auf, »das ist ein phrasenhaftes Wort. Ich mag's nicht. Was man zu bedauern hat, das kann man doch nur sich selbst verzeihen ...«

»Ja, Vera, das ist hundertmal wahr! Wenn ich Sie so sprechen höre, dann erst weiß ich, was für ein einzigartiges Geschöpf Sie sind. Wie recht haben Sie

getan, nicht zu heiraten. Vera, die Wahrhaftigkeit
selbst ist zu gut zur Ehe. Jeder Mann hätte an Ihnen
zum Lügner werden müssen, nicht nur ich . . .«
Leonidas fühlte in sich die Lust männlicher Unwi-
derstehlichkeit. Er hätte jetzt den Mut gehabt, Vera
an sich zu reißen. Er zog es aber vor, zu klagen:
»Ich habe mir nie verziehen und ich werde mir nie
verzeihen, nie, nie . . .«
Ehe er's aber noch ausgesprochen, hatte er sich's
verziehn, für einst und immer und die Schuld von
der Tafel des Gewissens gelöscht. Deshalb klang
diese Behauptung so freudig. Fräulein Wormser
entzog ihm mit einer leichten Bewegung ihre
Hände. Sie nahm ihr Täschchen und die Handschuhe vom Tisch:
»Ich werde jetzt gehen müssen«, sagte sie.
»Bleiben Sie noch ein paar Minuten, Vera«, flehte
er, »wir werden uns in diesem Leben nicht wieder-
sehen. Schenken Sie mir zu allem noch einen guten
Abschied, damit ich mich an ihn erinnern kann wie
ein völlig Begnadigter . . .«
Sie sah noch immer zur Seite, hielt aber im Zuknöp-
fen ihre Handschuhe inne. Er setzte sich auf die
Armstütze eines Fauteuils, so daß er sein Gesicht zu
dem ihren empordrehen mußte und ihm näher kam
als bisher:
»Wissen Sie, liebste, liebste Vera, daß seit achtzehn
Jahren kein Tag vergangen ist, an dem ich nicht

stumm wie ein Hund gelitten habe Ihretwegen und meinetwegen . . .«

Dieses Geständnis hatte nichts mehr mit Wahrheit und Unwahrheit zu tun. Es war nichts andres als die schwingende Melodie der Erlösung und köstlichen Wehmut, die ihn erfüllten, ohne sich zu durchkreuzen.

Obwohl er ihrem Antlitz so nahe war, nahm er keine Notiz davon, wie blaß, wie müde Vera plötzlich aussah. Die Handschuhe waren zugeknöpft. Sie hielt das Täschchen schon unterm Arm:

»Wär's nicht besser«, sagte sie, »jetzt auseinanderzugehen?«

Leonidas aber ließ sich nicht unterbrechen:

»Wissen Sie, Liebste, daß ich mich heute den ganzen Tag, Stunde für Stunde mit Ihnen beschäftigt habe. Sie waren mein einziger Gedanke seit diesem Morgen. Und wissen Sie, daß ich noch bis vor wenigen Minuten fest davon überzeugt war, daß Emanuel Ihr und mein Sohn ist. Und wissen Sie auch, daß ich wegen dieses Emanuel nahe, sehr nahe daran war, in Pension zu gehen, von meiner Frau die Scheidung zu verlangen, unser entzückendes Haus zu verlassen und knapp vor Torschluß ein neues hartes Leben zu beginnen? . . .«

In der Antwort der Frau klang zum erstenmal der alte echte Spott auf, jedoch wie vom Rande einer tiefen Erschöpfung:

»Wie gut, daß Sie nur nahe daran waren, Herr Sektionschef . . .«

Leonidas konnte sich selbst nicht mehr Einhalt gebieten. Gierig brach sie hervor aus ihm, die Beichte: »Seit achtzehn Jahren, Vera, seit der Stunde, wo ich Ihnen zum letztenmal die Hand aus dem Coupéfenster hinunterreichte, war die unabänderliche Überzeugung in mir, daß etwas geschehen ist, daß wir ein Kind miteinander haben. Manchmal war diese Überzeugung ganz stark, lange Zeiten hindurch wieder schwächer, und dann und wann nur wie ein Feuer unter der Asche. Sie aber hat mich mit Ihnen unzertrennbarer verbunden, als Sie es je ahnen können. Durch meine treulose Feigheit war ich mit Ihnen verbunden, wenn sie mich auch gehindert hat, Sie zu suchen und zu finden. Sie, Vera, haben gewiß seit Jahren nicht mehr an mich gedacht. Ich aber habe fast täglich an Sie gedacht, wenn auch in Angst und mit Gewissensbissen. Meine Treulosigkeit war die größte Trauer meines Lebens. Ich habe in einer sonderbaren Gemeinschaft mit Ihnen gelebt, endlich kann ich es bekennen. Wissen Sie, daß ich heute früh aus Feigheit beinahe Ihren Brief ungelesen zerrissen hätte, so wie ich damals in Sankt Gilgen Ihren Brief ungelesen zerrissen hab . . .«

Kaum war's heraus, erstarrte Leonidas. Ohne es zu wollen, hatte er sich bis tief auf den Grundschlamm entblößt. Ein jähes Schamgefühl strich ihm wie eine

Bürste über den Nacken. Warum war er nicht beizeiten gegangen? Welcher Teufel hatte ihn zu dieser Beichte aufgestachelt? Seine Blicke waren aufs Fenster gerichtet, hinter dem die Bogenlampen aufzischten. Es nieselte wieder. Der Mückentanz der winzigen Regentropfen kreiste um die Lichtkugeln. Fräulein Vera Wormser stand unbewegt da. Es war ganz dunkel. Ihr Gesicht war nur mehr ein fahler Schein. Leonidas fühlte die erloschene Gestalt, von der er abgewendet stand, als etwas Priesterinnenhaftes. Die Stimme aber, sachlich und kühl, wie von Anfang an, schien sich entfernt zu haben:

»Das war sehr praktisch von Ihnen, damals«, sagte sie, »meinen Brief nicht zu lesen. Ich hätte ihn gar nicht schreiben dürfen. Aber ich war ganz allein und ohne Hilfe in den Tagen, als das Kind starb . . .«

Leonidas wandte den Kopf nicht. Sein Körper war plötzlich wie aus Holz. Das Wort ›Genickstarre‹ wuchs in ihm auf. Ja, genau in jenem Jahr hatte die Epidemie so viele Kinder im Salzburgischen hingerafft. Das Ereignis hatte sich, unbekannt warum, seinem Gedächtnis eingegraben. Obwohl er aus Holz war, begannen seine Augen zu weinen. Er fühlte aber keinen Schmerz, sondern eine Verlegenheit ganz fremder Art und noch etwas Unerklärliches, das ihn zwang, einen Schritt zum Fenster zu machen. Dadurch entfernte sich die klare Stimme noch mehr.

»Es war ein kleiner Junge«, sagte Vera, »zwei und ein halbes Jahr alt. Er hieß Joseph, nach meinem Vater. Leider habe ich jetzt von ihm gesprochen. Und ich hatte mir fest vorgenommen, nicht von ihm zu sprechen, nicht mit Ihnen! Denn Sie haben kein Recht . . .«

Der Mensch aus Holz starrte durchs Fenster. Er glaubte, nichts zu empfinden als das hohle Verrinnen der Sekunden. Er sah tief in die Erde des Dorfkirchhofs von Sankt Gilgen hinein. Einsamer schwerer Bergherbst. Dort lagen auseinandergestreut im schwarzen nassen Moder die Knöchelchen, die aus ihm kamen. Bis zum Jüngsten Gericht. Er wollte irgend etwas sagen. Zum Beispiel: »Vera, ich habe nur Sie geliebt!« Oder: »Würden Sie es noch einmal mir mir versuchen?« Es war lächerlich alles, stumpfsinnig und verlogen. Er sagte kein Wort. Seine Augen brannten. Als er sich dann, viel später, umdrehte, war Vera bereits gegangen. Nichts war im finsteren Raum von ihr zurückgeblieben. Nur die achtzehn sanften Teerosen, die auf dem Tisch standen, bewahrten noch immer einen Rest ihres Lichtes. Der Duft, durch die Dunkelheit ermutigt, schwebte in runden, leise fauligen Wellen empor, stärker als früher. Leonidas litt darunter, daß Vera seine Rosen vergessen oder verschmäht hatte. Er hob die Vase vom Tisch, um sie zum Portier zu tragen. An der Tür des Salons aber überlegte er sich's und stellte die Totenblumen wieder in die vollkommene Finsternis zurück.

Siebentes Kapitel

IM SCHLAF

Leonidas steht in der Opernloge hinter Amelie. Er neigt sich über ihr Haar, das dank der langen Qual unterm Nickelhelm des Coiffeurs jetzt wie eine unstoffliche Wolke, wie ein dunkelgoldner Dunst ihren Kopf umgibt. Amelies glorreicher Rücken und ihre makellosen Arme sind nackt. Nur schmale Achselbänder halten den weichen, seegrünen Velour ihres Kleides, das sie heute zum erstenmal trägt. Ein sehr kostbares Pariser Modell. Amelie ist infolgedessen feierlich gestimmt. In der Pracht ihres Selbstgefühls nimmt sie an, auch León sei, angesichts ihrer leuchtenden Erscheinung, feierlich gestimmt. Sie streift ihn mit einem Blick und sieht einen eleganten Mann, der über der blendenden Frackbrust ein zerknittertes und graues Gesicht aufgeschraubt trägt. Ein flüchtiger Schatten von Schreck fällt auf sie. Was hat sich da ereignet? Ist zwischen Lunch und Oper aus dem ewig jungen Tänzer ein vornehmer älterer Herr geworden, dessen zwinkernde Augen und herabgezogene Mundwinkel die Lebensmüdigkeit des Abends kaum unterdrücken können?

»Hast du dich sehr geplagt heut, armer Kerl«, fragt Amelie und ist schon wieder zerstreut. Leonidas arbeitet fleißig an seinem begeistert-mokanten Lächeln, ohne es ganz zustande zu bringen:

»Nicht der Rede wert, lieber Schatz! Eine einzige Konferenz. Ich hab den ganzen Nachmittag sonst gefaulenzt . . .«

Sie berührte ihn liebkosend mit ihrem marmorblanken Rücken:

»Hat dich mein blödsinniges Gerede aus der Fassung gebracht? Bin ich schuld? Du hast recht, León. Alles Unheil kommt von diesem Hungern. Aber sag, was soll ich tun, mit neununddreißig bald, wenn ich nicht mit einem wunderschönen Doppelkinn, einer gepolsterten Krupp und zwei Klavierbeinen durchs Leben wackeln will? Du würdest dich bedanken, du Schönheitsfanatiker! Schon jetzt, sag's nicht weiter, kann ich ein Modell ohne kleine Änderungen kaum mehr tragen. Ich hab nicht das Glück, so ein hageres Gliederpüppchen zu sein wie deine Anita Hojos. Wie ungerecht seid ihr Männer! Hättest du dich seelisch mehr mit mir beschäftigt, wär ich nicht solch eine hemmungslose Kanaille geblieben, sondern wär auch so taktvoll und feinfühlig und entzückend verschämt geworden, wie du es bist . . .«

Leonidas macht eine kleine wegwerfende Handbewegung:

»Mach dir keine Sorgen deswegen! Ein guter Beichtvater vergißt die Sünden seines Beichtkindes . . .«

»Also, das ist mir auch nicht recht, daß du meine ehelichen Leiden so schnell vergißt«, schmollt sie, wendet sich aber schon wieder ab, das Opernglas an die Augen führend:

»Was für ein schönes Haus heute!«

Es ist wirklich ein schönes Haus. Alles, was Rang und Namen besitzt, hat sich an diesem Abend in der Oper versammelt. Ein hoher Würdenträger des Auslandes wird erwartet. Zugleich nimmt eine gefeierte Sängerin vor ihrem amerikanischen Urlaub Abschied vom Publikum. Amelie wirft unermüdlich das Netz ihres grüßenden Lächelns aus und zieht es ebenso unermüdlich ein, triefend vom Licht der Erwiderung. Wie Helena auf den Zinnen Trojas zählt sie die Namen der versammelten Persönlichkeiten auf, in einer erregten Teichoskopie des Snobismus:

»Die Chvietickys, Parterreloge No. 3, die Prinzessin hat schon das zweitemal herübergegrüßt, warum antwortest du nicht, León? Daneben die Bösenbauers, wir haben uns sehr schlecht benommen gegen sie, wir müssen sie noch in diesem Monat einladen, Bridgepartie en petit comité, ich bitte, sei besonders liebenswürdig. Jetzt schaut auch der englische Gesandte herüber, ich glaube, León, du mußt es zur

Kenntnis nehmen. In der Regierungsloge sitzt schon dieser unmögliche Koloß, das Weib vom Spittelberger, ich glaub, sie hat einen Wolljumper an, was würdest du sagen, wenn ich so aussehen täte, du wärst gar nicht einverstanden, also ehre meinen verborgenen Heldenmut! Die Torre-Fortezzas winken, wie entzückend die junge Fürstin aussieht, und sie ist geschlagene drei Jahre älter als ich, ich schwör dir's, du mußt danken, León . . .«
Leonidas dreht sich mit kleinen grinsenden Verbeugungen nach allen Seiten. Er grüßt aufs Geratewohl, wie es die Blinden tun, denen man die Namen der Begegnenden ins Ohr flüstert. So sind diese Paradinis, geht es ihm durch den Kopf, er vergißt aber, daß ihn sonst, nicht anders als Amelie, der erlauchte Namensschwall wohlig durchschauert . . . Immer wieder fordert er sich selbst auf, glücklich zu sein, weil alles so unerwartet, so vortrefflich sich gelöst hat, weil er zu schweren Geständnissen und Entscheidungen nicht mehr verhalten werden kann, kurz, weil sein trübes Geheimnis aus der Welt geschafft und er freier und leichter sein darf als jemals. Leider aber ist er nicht imstande, seiner Einladung zum Glücklichsein Folge zu leisten. Er leidet sogar verstiegenerweise darunter, daß Emanuel nicht sein Sohn ist. Einen Sohn hat er verloren. Oh, wäre Emanuel doch der mittlerweile erwachsene Junge, der kleine Joseph Wormser, der vor

achtzehn Jahren in Sankt Gilgen an Genickstarre zugrunde ging! Leonidas kann sich nicht helfen, in seinem Kopf rattert ein Eisenbahnzug. Und in diesem Eisenbahnzug fährt Vera aus einem Land, wo sie nicht atmen kann, in ein Land, wo sie atmen kann. Wer hätte das gedacht, daß in den Ländern, wo diese Überheblichen nicht atmen können, hochentwickelte Menschen wie Emanuels Vater zu Tode gequält werden, mir nichts, dir nichts? Das sind doch erwiesenermaßen Greuelmärchen. Ich glaub's nicht. Wenn Vera auch die Wahrhaftigkeit selbst ist, ich will es nicht glauben. Aber was ist das? Mir scheint, auch ich kann hier nicht atmen. Wie? Ich, als Erbeingesessener, kann hier nicht atmen? Das möcht ich mir doch ausgebeten haben! Am besten, ich lasse mir nächstens mein Herz untersuchen. Vielleicht schon übermorgen, ganz heimlich, damit Amelie nichts davon erfährt. Nein, verehrter Kollege Skutecky, ich werde nicht zu Herrn Lichtl wallfahrten, zur triumphierenden Mediokrität, sondern sans gêne zu Alexander Bloch. Vorher aber, morgen früh schon, laß ich mich bei Vinzenz Spittelberger melden: Bitte Herrn Minister gehorsamst um Entschuldigung für die gestrigen Diffizilitäten. Ich hab mir die Anregungen des Herrn Ministers ruhig überschlafen. Herr Minister haben wieder einmal das Ei des Kolumbus entdeckt. Hier hab ich gleich den Ordensantrag für Professor Bloch und das Ernennungsdekret für Professor Lichtl mitgebracht. Wir müssen uns endlich auf unsre nationalen Persönlichkeiten besinnen und sie gegen die internationale Reklame durchsetzen. Herr Minister sind doch äußerst expeditiv und werden beim heutigen Kabinettsrat diese Stücke gewiß durch den Herrn Bundeskanzler unterfertigen lassen. – Danke Ihnen, Herr Sektionschef, danke Ihnen! Ich habe nicht einen Moment daran gezweifelt, daß Sie meine einzige Stütze sind hier im Haus. Im Vertrauen, falls ich demnächst ins Kanzleramt übersiedle, nehme ich Sie als Präsidialisten mit. Wegen gestern brauchen Sie sich keine Gedanken zu machen. Sie waren halt ein bißl enerviert durchs Wetter. – Ja, natürlich, das Wetter! Stürmisches Wetter. Leonidas hat den Wetterbericht des Radios im Ohr. Während er sich für die Oper umkleidete, hatte er seinen Apparat eingeschaltet: »Depression über Österreich. Stürmisches Wetter im Anzug.« Das ist der Grund, warum er nicht atmen kann. Leonidas nickt noch immer mechanisch ins Leere. Er grüßt auf Vorschuß, um Amelie gefällig zu sein.

Die Gäste, die man heute ins Theater geladen hat, sind erschienen. Ein Frack und eine schwarz-silberne Robe mit einem Abendmantel wie aus Metall. Die Damen umarmen einander. Leonidas drückt seinen Mund auf eine duftende fette Hand mit einigen braunen Leberflecken. Wo bist du schon,

fleischlose Hand, bittersüße Hand mit deinen zer-
brechlichen Fingern ohne Ring!?

»Gnädige Frau werden jedesmal jünger . . .«

»Wenn das so weitergeht, Herr Sektionschef, werden Sie mich nächstens als Baby begrüßen
dürfen . . .«

»Was gibt es Neues, lieber Freund? Was sagt die
hohe Politik?«

»Mit der Politik hab ich, Gott sei Dank, nichts zu
tun. Ich bin ein schlichter Schulmann.«

»Wenn auch du schon geheimnisvoll wirst, teurer
Sektionschef, muß es ziemlich schlimm stehen. Ich
hoffe nur, daß England und Frankreich mit uns
Einsehen haben werden. Und Amerika, vor allem
Amerika! Wir sind schließlich das letzte Bollwerk
der Kultur in Mitteleuropa . . .«

Diese Worte seines Gastes reizten Leonidas, er weiß
selbst nicht warum.

»Kultur haben«, sagt er grimmig, »das heißt, anders
ausgedrückt, einen Stich haben. Wir alle hier haben
einen Stich, weiß Gott. Ich rechne mit keiner
Macht, auch mit der größten nicht. Die reichen
Amerikaner kommen im Sommer gerne nach Salz-
burg. Aber Theaterbesucher sind keine Verbündete.
Alles hängt davon ab, ob man stark genug ist, sich
selbst zu revidieren, eh die große Revision
kommt . . .«

Und er seufzt tief auf, weil er sich nicht stark genug

weiß und weil das ungegliederte Gesicht des Schwammigen haßvoll vor ihm zu schwanken beginnt.

Majestätischer Applaus! Der ausländische Würdenträger, von einheimischen umkränzt, tritt an die Brüstung der Festloge. Der Saal wird dunkel. Der Kapellmeister, vom einsamen Pultlicht angestrahlt, krampft sein Profil entschlossen zusammen und breitet die Schwingen eines riesigen Geiers aus. Nun flattert der Geier, ohne vom Fleck zu kommen, mit regelmäßigen Schlägen über dem unbegründet überschwenglichen Orchester. Die Oper beginnt. Und das hab ich früher einmal doch ganz gern gehabt. Eine ziemlich beleibte Hosenrolle springt aus dem Prunkbett der noch beleibteren Primadonna. Achtzehntes Jahrhundert. Die Primadonna, eine ältere Dame, ist melancholisch. Die Hosenrolle, durch jungenhaftes Geschlenker ihre äußerst weiblichen Formen betonend, bringt auf einem Tablett die Frühstücks-Schokolade. Widerlich, denkt Leonidas.

Auf Zehenspitzen zieht er sich in den Hintergrund der Loge zurück. Dort sinkt er auf die rote Plüschbank. Er gähnt inbrünstig. Es ist alles glänzend abgelaufen. Die Sache mit Vera ist endgültig aus der Welt geschafft. Ein unglaubliches Wesen, diese Frau. Sie hat mit keinem Wort insistiert. Wär ich selbst nicht, wieder einmal vom Teufel geritten, sentimental geworden, hätte ich nichts erfahren, nichts, und wir wären in tadelloser Haltung auseinandergegangen. Schade! Mir wär wohler ohne Wahrheit! Kein Mensch kann zwei Leben leben. Ich wenigstens hab nicht die Kraft zu dem Doppelleben, das mir Amelie zutraut. Sie hat mich vom ersten Tag an überschätzt, die gute liebe Amelie. Schwamm drüber, es ist zu spät. Ich darf mir auch nie wieder solch taktlose Sentenzen genehmigen wie die mit der großen Revision. Was für eine Revision, zum Kuckuck! Ich bin weder Heraklit der Dunkle noch ein intellektueller Israelit, sondern ein öffentlicher Funktionär ohne Spruchweisheit. Werd ich es nicht endlich lernen, genau solch ein Esel zu sein wie alle anderen?! Man muß schließlich zufrieden sein. Man muß sich das Erreichte immer wieder zu Gemüte führen. In diesem schönen Hause sind die obersten Tausend versammelt, ich aber gehöre zu den obersten Hundert. Ich komme von unten. Ich bin ein Besieger des Lebens. Als mein armer Vater so früh starb, mußten wir, die Mutter und fünf Geschwister, von zwölfhundert Gulden Pension leben. Als drei Jahre später die arme Mutter starb, war auch die Pension nicht mehr da. Ich bin nicht untergegangen. Wieviele sind auf der Stufe des Hauslehrers bei Wormser steckengeblieben und haben nicht einmal den kühnen Traum verwirklicht, als Schulmeister eines Provinznestes im Honoratio-

renstübchen des Wirtshauses zu sitzen? Und ich!?
Es ist doch ausschließlich mein Verdienst, daß ich
mit nichts als einem ererbten Frack ein anerkannt
reizender junger Mann war und ein famoser Walzertänzer, und daß Amelie Paradini darauf bestanden hat, mich zu heiraten, ausgerechnet mich, und
daß ich nicht nur Sektionschef, sondern ein großer
Herr bin, und Spittelberger, Skutecky und Konsorten wissen genau, ich bin auf den ganzen Krempel
nicht angewiesen, sondern ein nonchalanter Aus-
nahmefall, und die Chvietickys und die Torre-Fortezzas, ältester Feudalsadel, lächeln herüber und
grüßen zuerst und morgen früh im Büro werd ich
die Anita Hojos anklingeln und mich zum Tee
ansagen. – Eins aber möcht ich wissen, hab ich heut
wegen des kleinen Jungen wirklich geweint oder
bild ich's mir nur ein, nachträglich . . .
Immer schwerer stülpt sich die Musik über Leonidas. Mit langen hohen Noten fahren die Frauen-
stimmen gegeneinander. Monotonie der Übertriebenheit! Er schläft ein. Während er aber schläft,
weiß er, daß er schläft. Er schläft auf der Parkbank.
Ein schwacher Schauer von Oktobersonne be-
sprengt den Rasen. In langen Kolonnen werden
Kinderwagen an ihm vorbeigeschoben. In diesen
weißen Gefährten, die über den Kies knirschen,
schlafen die Folgen der Verursachungen und die
Verursachungen der Folgen mit ausgebauchten

Säuglingsstirnen, mit vorgewölbten Lippen und geballten Fäustchen ihren tief beschäftigten Kindheitsschlaf. Leonidas spürt, wie sein Gesicht immer trockener wird. Ich hätte mich für die Oper ein zweites Mal rasieren müssen. Das ist nun versäumt. Sein Gesicht ist eine große ausgedörrte Lichtung. Langsam verwachsen die Pfade, Karrenwege und Zufahrtstraßen zu dieser vereinsamten Lichtung. Sollte das schon die Krankheit des Todes sein, sie, die nichts andres ist als die geheimnisvoll logische Entsprechung der Lebens-Schuld? Während er unter der drückenden Kuppel dieser stets erregten Musik schläft, weiß Leonidas mit unaussprechlicher Klarheit, daß heute ein Angebot zur Rettung an ihn ergangen ist, dunkel, halblaut, unbestimmt, wie alle Angebote dieser Art. Er weiß, daß er daran gescheitert ist. Er weiß, daß ein neues Angebot nicht wieder erfolgen wird.

NACHWORT

Deutschland lebt nicht in politischen, lebt nicht in literarischen Traditionen, anders als etwa England, die Vereinigten Staaten, Frankreich und auch Rußland. Keine Kontinuität gelebten Geisteslebens. Rascher Wechsel des geistigen Klimas, der Moden, der »Stile«. Wer da als Schriftsteller oder gar als Dichter sich ein Leben lang behaupten will, muß eine besondere Standfestigkeit besitzen. Sie bewahrt ihn oft nicht davor, raschem Vergessen anheimzufallen. Autoren, die nach 1945 zu Ruhm gelangten und/ oder wieder erinnert wurden, waren um 1960 bereits wieder »vergessen«. Wer Glück hat – ein fragwürdiges Glück –, fällt den Germanisten anheim, wird von ihnen in Dissertationen und Forschungsberichten verwahrt.

Also kommt es Verlagen und einzelnen Persönlichkeiten zu, »Erweckungen« zu tätigen, »Wiedergeburten«, »Renaissancen« von »Vergessenen« zu produzieren. Überraschende Erfolge können hier erzielt werden.

Franz Werfel kam im Juni 1976 nach Wien zurück. Einige Freunde und einige Verehrer, und vor allem

Armenier, standen um das Grab, das die Gemeinde Wien ihm gewidmet hatte. Amerikanische Armenier hatten die Überführung der Urne aus Amerika finanziert. »Er *ist* einer unserer Besten«, sagt mir, Tränen in den Augen, ein noch junger Armenier. Nie werden die Armenier in aller Welt vergessen, daß Franz Werfel ihr Nationalepos geschaffen hat, ›Die vierzig Tage des Musa Dagh‹, 1933 erschienen, einen jungtürkischen Völkermord von 1915/16 erinnernd, den Werfel auf einer Nahostreise 1929 im Elend armenischer Flüchtlingskinder in Damaskus in all seiner tötenden »Lebendigkeit« erfährt. Ab Juli 1932 schreibt er, nach langen Studien, diesen Roman in neun Monaten.

1915/16: der Erste Weltkrieg »blüht«. In ihm erwacht der junge Franz Werfel. 1929: die Wallstreet-Katastrophe produziert in Kettenreaktionen auch dies: den Zusammenbruch des deutschen und österreichischen Bankwesens. 1933: der Österreicher aus Braunau kommt an die Macht. Der Altösterreicher aus Prag »erinnert« im Völkermord von 1915/16 den Genocid, der nun in der Luft lag, allerdings von Juden und Christen und Anderen nicht recht anvisiert wurde. Es ist hier nicht der Platz, um zu wiederholen, was man Franz Werfel alles vorgeworfen hat: an »stilistischen Ungereimtheiten«, »literarischen Schwächen«, an »Schwulst« und »falschem Pathos« des blutjungen Expressionisten, an

»Schlampereien« in der Komposition und noch mehr in der Ausführung. Tief traf ihn der Haß eines hochbegabten, sich selbst hassenden Juden aus und in Wien, dessen rührende Liebesgeschichte mit einer böhmischen Adeligen – in ihren Briefen erst seit kurzer Zeit der Öffentlichkeit zugänglich – bezeugt, wie irreal er ebenso geliebt wie gehaßt hat.

Ernster ist dies zu nehmen: Nach seinem Tode, 1945, wurde Werfel das Opfer einer Auseinandersetzung zwischen Römischen Katholiken und Juden und wieder Anderen, die ihn für die Römische Kirche reklamierten beziehungsweise ihm vorwarfen, obszön, nahezu obszön, mit dem Christentum, genauer eben mit dem Katholizismus kokettiert zu haben. Furcht dieses »Verhältnisses«, unter anderem am sichtbarsten: sein Roman ›Das Lied von Bernadette‹. Werfel hatte auf der Flucht vor den Deutschen im Juni 1940 in Lourdes Hilfe gefunden und gelobt, im Falle seiner Rettung »die wundersame Geschichte des Mädchens Bernadette Soubirous und die wundersamen Tatsachen der Heilungen von Lourdes zu singen«. Und im Vorwort vermerkt er, daß er »kein Katholik . . . sondern Jude« sei.

Dieses Buch, geschrieben in Los Angeles, erschienen in Stockholm 1941, wurde damals über Budapest nach Wien geschmuggelt und hier Gegnern des Regimes und Menschen, die nach kurzer Täuschung

wieder zur Besinnung kommen wollten, zum Lesen
anvertraut.

Die Hinneigungen des Franz Werfel sind in diesem
Kontext zu sehen: der Staatenverband des Herzogs
von Auschwitz, des Königs von Jerusalem, also des
Kaisers Franz Joseph, für dessen Sieg 1914 auch in
New Yorker Synagogen gebetet wurde, dessen Ar-
meen mit katholischen und evangelischen Feldgeist-
lichen auch Rabbiner und Imame (für seine islami-
schen Soldaten) begleiteten, ein Staat, in dem Juden
Minister und Erzbischöfe waren (wie der Erzbi-
schof von Olmütz, Cohn, dessen jüdisch gebliebene
Verwandte heute noch in Wien leben), übte gerade
auf sehr sensible, geistig und seelisch wache Juden
eine starke Anziehungskraft aus. Wir wissen heute,
wie tief Sigmund Freud vom Römischen Katholizismus angezogen und abgestoßen und wie tief er
versucht wurde. Freud: »Meine ganze Libido gehört Österreich-Ungarn.« Theodor Herzl wollte
die Juden Wiens geschlossen in den Stephansdom
zur Taufe führen; nahezu seine gesamte Familie
»konvertierte«. Franz Kafka, der Jugendgenosse
Franz Werfels (beide tragen sie einen »urkatholi-
schen« Vornamen), wurde – wie seit den Forschun-
gen von Weinberg immer deutlicher herausgearbei-
tet worden ist – von dem furchtbaren Übervater in
Rom, dem Papst, nicht minder angezogen und verwirrt als von seinen beiden »ohnmächtigen« jüdi-

schen Vätern: Gott-Vater und dem leiblichen Vater in Prag.

Der junge Franz – Werfel also – erlebt in seinem deutsch-jüdisch-christlich-tschechischen Prag: die alten Väter können die Sache des Menschen nicht mehr schützen, ja sie bezeugen sich als Mörder ihrer Söhne, die sie auf die Schlachtfelder des Weltkrieges verschicken; die sie zuvor bereits auf dem Schlachtfeld »Familie« vorgetötet haben. Die Väter bezeugen sich ebensosehr gefährlich durch ihre Übermacht wie durch ihre Hilflosigkeit: der Kaiser und die Könige, Gott-Vater im Himmel und der eigene Vater, der den Sohn zum verlorenen Sohn stempelt.

Hinter dem vielberedeten »Expressionismus« des »jungen Lyrikers« Franz Werfel steht dieses »einfache«, so furchtbare Erlebnis: die Sache des Menschen ist verloren, wenn der Mensch des Menschen Wolf bleibt und nicht des Menschen Bruder wird. Bruder Franz (von Assisi) hatte den Wolf in Gubbio eingeführt, in die Friedensgemeinde der Menschen-Brüder. Bruder Franz Werfel bekennt sich zu einer Brüderlichkeit, die nie die Sache der »Männer« war, der Männer, die Geschichte und die auch die Literatur machen. Ich bin überzeugt: es ist diese immer noch und immer wieder diffamierte Brüderlichkeit, die als »Schwäche« gilt und dem Weltkind, dem Menschenkind, dem großen kindhaften Men-

schen Franz Werfel nicht »abgenommen« wird, um
so mehr, als er es nicht lassen kann, die scheußliche
und schändliche Schwäche der Herren-Männer immer wieder zu entlarven.

Lyrik: das Wort also gegen den Krieg. Dieses Wort
ist all seinen Intentionen nach Wort aus dem Schoß
der Propheten – und scheitert wie dieses. Der junge
Dichter drängt, sucht Öffentlichkeit, wagt also das
Drama. Nach melodiös-artistischen Gedichten wie
›Der Besuch aus dem Elysium‹ (1911) und ›Das
Opfer in Arkadia‹ (1913) sein erster Paukenschlag:
die ›Troerinnen des Euripides‹, 1915: Beschwörung
der Leidensmacht, der Lebenskraft, der Mutter, der
Frau, der Mütter, der Frauen, die berufen sind – in
Prag und Berlin und St. Petersburg und Paris und
Wien 1915, in Belfast und Dublin 1976, aufzustehen
gegen die Männer, die Mörder und Selbstmörder
sind, die den Krieg in sich tragen, da sie zu schwach
sind, um lieben zu können.

Das »revolutionäre« Engagement Franz Werfels
gilt, von allem Anfang an – sehr im Unterschied zu
einigen seiner Prager Jugendfreunde, die sich etwa,
mit dem »rasenden Reporter« Egon Erwin Kisch
(1885–1948) in der kommunistischen Bewegung en-
gagieren –, nicht einer »rein politischen«, nicht einer
immer partikulären, von Parteien gemachten Revolution, sondern der Revolution des Menschen. Der
Mensch ist *berufen, als Bruder, aufzustehen,* gegen

die Mörder, gegen alle Schindungen und Schändungen des Menschen.

Folglich zunächst dies: ›Nicht der Mörder, der Ermordete ist schuldig‹ (1920). Ein Wiener Kriminalfall veranlaßt Werfel zu einem Brief an den Staatsanwalt: die Schuld der Söhne setze eine Schuld der Väter voraus. Er beruft sich in dieser »Novelle« auf Sophokles: »Jeder Vater ist Laios, Erzeuger des Ödipus«, plädiert hier gegen die »gierig unstillbare Autoritätssucht« der Väter, gegen ihr »Nicht-beizeiten-resignieren-Können« (es war damals die Überzeugung vieler österreichischer Patrioten, daß die Donaumonarchie sehr wohl befähigt war, in einen zentraleuropäischen Staatenbund umgebaut zu werden. Kaiser Franz Joseph regierte als Übervater ein halbes Jahrhundert zu lang). Der »ganze Werfel« bezeugt sich bereits hier: er läßt, im Ausklang, in dem tief gedemütigten Vater das Menschliche sichtbar werden.

Für Juden im Schoß der Donaumonarchie, also für Kafka, Freud, Joseph Roth und viele andere, ist der weltgeschichtliche Vater-Sohn-Komplex eng verbunden mit ihrem inneren Kampf mit dem Gott-Vater aus der Wüste und dem durch die Christen (das Christentum, laut Leo Baeck, eine romantische Jugendbewegung des Judentums) so gefährlich deformierten Sohn dieses Vaters, dem durch die Großkirche in ihre Himmel entrückten jungen

Manne aus Galiläa, Jesus, der da zu dem Christus wurde.

Sein Judentum »arbeitet« radioaktiv in Werfel (›Die schwarze Messe‹, 1920, ›Der Tod des Mose‹ 1920), trifft hier mit dem nicht minder virulent »arbeitenden« Christentum zusammen. Eine Reise ins Land der Väter, nach Palästina, bringt einen Durchbruch, der sich 1925 in der »dramatischen Legende in sechs Bildern« ›Paulus unter den Juden‹ niederschlägt, kristallisiert. Werfel stellt Paulus (sich selbst) zwischen Juden und Christen. Rabbiner und Apostel greifen Paulus an. Ein übermenschlicher »Vorwurf« für ein Drama (1925!): gleichzeitig die weltgeschichtliche Rolle des Juden und des Christen auf sich zu nehmen. Werfel erlebt das. Seine Paulustrilogie wird nicht vollendet. ›Paulus unter den Heiden‹ und ›Paulus und Cäsar‹ werden nicht geschrieben.

Der *Vor-Wurf* war zu groß. Die jüdisch-christlichen Auseinandersetzungen sind erst im Heute, dreißig Jahre nach Werfels Tod, an jene Schwelle, in jenes Tor geraten, das Werfel öffnen wollte: für seine Juden, für seine Christen, die beide nicht ihm gehören. Nie wird sein furchtbarer Doppeladler, der als Geier seine Seele *an*frißt, ihn verlassen: die jüdisch-christliche Koexistenz in seiner Brust. Nie wird er sie vergessen. Als eine fruchtbare, schöpferische Entlastung gelingt ihm nun dies: Franz Werfel wird *der* große Historiker der inneren Katastrophen in Altösterreich, und zumal in seinem ersten Nachfolgestaat, in der Ersten Republik Österreich. Als dieser Historiker des »weiten Landes«, der Höllen und der sehr fraglichen Himmel dieses Kontinents Österreich ist er singulär unersetzlich und heute wieder besonders lesenswert: da er – wie Freud auf seine Weise – am Falle Österreich den Fall Mensch in einer Kette von Fall-Studien zur Schau stellt, wobei seine Analyse durchaus der tiefenpsychologischen konform geht.

Um dies vorweg anzuzeigen: ›Eine blaßblaue Frauenschrift‹ steht im Kontext der Romane, die mit dem Roman von 1928 ›Der Abituriententag‹ beginnen, Untertitel: »Die Geschichte einer Jugendschuld«. Das ist die Beichte eines Landgerichtsrates, der mit sich selbst zu Gericht geht: »Meine Aufgabe ist es, mich zu verhören.« Eine Begegnung mit einem Untersuchungshäftling am Abituriententag, am Treffen der Schüler eines österreichischen Gymnasiums nach fünfundzwanzig Jahren, öffnet dem Richter den Blick nach innen hinein, erinnert ihn an eine Schuld, die er an einem Mitschüler, den er aus der Schule mit-austrieb, begangen hat.

Das Jüngste Gericht tagt heute: in der Brust eines Menschen, der sich »erinnert«. Erinnern ist: eigene Schuld zu erinnern. Werfel – und andere österreichische Autoren, Psychologen, Ärzte, Rechtsden-

ker – erfahren die Vergangenheit – die Donaumonarchie – als eine ungeheure Last, die *schöpferisch*
aufzubereiten, zu liquidieren, also zu verflüssigen
ist: im eigenen Werk.

Ich habe den Roman ›Barbara oder Die Frömmig-
keit‹ (1929) zum erstenmal im Jahre 1933 gelesen.
Ein Jahr vor meinem Abitur, im Wien, das tief
überschattet war von den Kämpfen des Bürgerkrie-
ges und durch den Mann, der seit seiner Machtübernahme in Deutschland im Tor Österreichs stand.
Ich las damals über die beklemmende, mich bedrük-
kende, atmosphärisch so dichte Schilderung des
Wiens der Nachkriegszeit hinweg, in mir blieb
»nur« der Glockenklang über einem böhmischen
Wallfahrtsort haften, in dem die Dienstbotin Barbara einkehrte. Heute erlese ich mir hier dies: den
Historiker Franz Werfel, der hier unter anderem
seine Erfahrungen an der russischen Front, an der er
zwei Jahre stand, dann im Kriegspressequartier in
Wien einschmilzt in ein Panorma, das im Fanatismus von politischen und religiösen Fanatikern und
allerlei anderen Käuzen bereits anzeigt, was damals
wieder in der Luft lag.

Werfel spürt mit allen Fibern, wie es in diesem
Wien immer erstickender wird, wie das seit langem
schlechte Klima sich immer noch mehr verschlech-
tert. Er sucht sich Luft, seelische Befreiung zu
schaffen, durch einige Dramen, die ihm ermögli-

chen, wegzukommen und den großen Schmerz, die Konflikte zu »objektivieren«: sie in anderen Räumen darzustellen. Die Dramen haben diese Entlastungsfunktion, indem sie die Konflikte in seiner Brust (Glaube gegen »Unglaube«, Jude gegen Christ, Bruder gegen Übervater, dazu die Komplexe in den Völkern der Donaumonarchie, in denen Archaik und »Moderne« aufeinanderstoßen) verlegen, wenn es geht, möglichst weit weg von Wien, das von Werfel (analog zu Freud) leidenschaftlich geliebt und gehaßt wird.

Stärkere Bedeutung als dem ›Spiegelmensch‹ (1920) – der Mensch mit den beiden Ichs, dem eigentlichen und dem Schein-Ich in einer Schein-Welt – und dem ›Schweiger‹ (1922) – einer tiefenpsychologischen Erhellung eines friedsamen Spießbürgers als eines »alten« Mörders – kommt dem ›Bocksgesang‹ zu, einer Tragödie in fünf Aufzügen (1921), uraufgeführt 1922 in Wien, einem vielschichtigen Drama, dem die Kraft und Intelligenz eines heutigen Regisseurs zu wünschen ist, um es auf die deutschsprachigen Bühnen zu bringen: jener Einsatz, der heute den oft so schmalbrüstigen, linearen, dünnen Ein-Jahr-Produktionen der erfolgreichen jungen Playboys unserer Literatur-Mode gewidmet wird.

Der ›Bocksgesang‹ ist ein Pandämonium, er begibt sich im Schicksalsraum der Donaumonarchie, also auf dem Balkan, genauer in Nordserbien. Pan er-

164

wacht. Eine Mißgeburt, Bock und Vor-Neander-
taler in einer Person, dazu landsuchende rebelli-
sche Bauern, bringen die Familie eines Großbauern,
die eben noch eine »heile Welt« verkörperte, außer
Rand und Band. Stanja, die Verlobte des Sohnes
dieses Großbauern, Mirko, empfängt von dem
Bock-Gott-Dämon, der sie mit einem »unmensch-
lich-übermenschlichen Lustschrei« nimmt, ein
Kind. Diese Tragödie, die den verdüsterten und
verhemmten Wienern von 1922 so sehr auf die
Nerven ging, verdient eine Präsentation mit den
Mitteln des heutigen Theaters.

Friedsam wirken dagegen die späteren Dramen:
›Juarez und Maximilian‹ (1922), ja sogar das Hussi-
tendrama ›Das Reich Gottes in Böhmen‹, das an den
Kern der Böhmischen Tragödie des 15. bis hohen
20. Jahrhunderts rührt: die bis heute nicht geheilte
Wunde, die aus den Feuern des Jan Hus brennt.

In Amerika, 1941/42, gelang es Werfel, aus dem
Großraum der europäischen Tragödie, die 1939 mit
ihrem Ersten Akt begann, eine Komödie zu bergen:
›Jacobowsky und der Oberst. Komödie einer Tragödie‹. (Uraufführung einer von S. N. Behrman be-
arbeiteten englischen Fassung 1944 in New York,
deutschsprachige Uraufführung, Basel 1944). Zwei
»Todfeinde«, ein polnischer Oberst und ein Jude
(polnischer Antisemitismus lebt bis heute, aktiv
auch in der Politik), fliehen in Frankreich gemein-

sam vor den Deutschen. Sehr widerstrebend erkennt der arrogante Oberst allmählich, auf dieser Fahrt am Rande der Vernichtung, in dem verachteten kleinen Juden, der immer »zwei Möglichkeiten« im Auge hat, die des Gelingens und die des Scheiterns, eine große, mitmenschliche Seele.

Musik der Kindheit: sie klingt auf im Roman ›Der veruntreute Himmel. Die Geschichte einer Magd‹ (erschienen 1939). Dieser Roman beginnt als Werfels »Requiem« für seine Wiener Freunde, die Familie Argan, die in ihrem Landhaus in Grafenegg dem Böhmen Werfel eine Heimat boten. Die Argans leben da in einer Inselwelt (wie Werfel selbst in Wien!) – sie ist »eine Art von glücklichem Jenseits, das sie sich aus der so ganz anders gesinnten Umwelt ausgespart hatten«. Die große Hauptfigur dieses Romans ist aber die böhmische Magd Teta Linek, eine große Schwester der Barbara, die sich durch »gute Werke«, vorzüglich an ihrem nichtsnutzigen Neffen Mojmir, im Himmel einkaufen will, deren archaisches Urvertrauen, deren gottseliges demütig-starkes Leben jedoch so seinsmächtig sind, daß sie die größte Enttäuschung ertragen kann: eben den »veruntreuten Himmel«.

Diese Teta Linek ist mit der Barbara und ist mit der »reinen Magd« (wie das Mittelalter Maria besingt), also mit dem Bauernmädchen Bernadette eine triadische, eine dreifaltige Verkörperung *der Großen*

Frau, wie sie Werfel, das Kind, der ewige Sohn, der Bruder, am tiefsten erlebt: als Große Mutter, Verkörperung jener Muttergöttinnen, deren äußerlich so kleine, innerlich so mächtige Idole in Böhmen, in Niederösterreich und weit in den osteuropäischen Raum hinein gefunden werden, zum zweiten als Große Schwester, zum dritten als Kore, als das Mädchen aus der Frühe aller Menschheitsfrühlinge. Es sprengte den Rahmen dieses notwendig summarischen Vermerks, hier aufzeigen zu wollen, wie diese selige, irdisch-himmlische Dreifaltigkeit, Werfels Große Frau in drei Erscheinungen, *die Gnade sind,* Inkarnation des Göttlichen *in Erde,* Werfel in den beiden Schicksalsfrauen seines Lebens zukommt: in Alma Mahler-Werfel und ihrer Tochter Manon Gropius.

In Amerika sinnt Werfel, der den Tod in sich wachsen spürt, während der drei letzten Jahre seines Lebens dem Schicksal des blauen Planeten Erde nach, der unweit seiner Sterbestätte wenige Jahre nach seinem Tode zum erstenmal sein Gesicht den Menschen im Weltraum zeigt. Vor dem Beginn dieses neuen, kosmischen Abenteuers des Menschen geht Werfels Seele auf die große Fahrt: auf eine »Entdeckungsreise oder Forscherfahrt« zwischen »Noch immer« und »Schon wieder«, wobei er sich auf den Griechen Diodor beruft: Aufgabe des Dichters ist es, »die Fabelwesen auf den Inseln

zu besuchen, die Toten im Hades und die Ungeborenen auf ihrem Stern«. Der ›Stern der Ungeborenen. Ein Reiseroman‹ (1943–45, erschienen in
Stockholm 1946) ist zunächst einmal Werfels, des
Alteuropäers, Auseinandersetzung mit der in den
USA erlebten »menschenfresserischen Zivilisation«,
die aus der Erde eine »All-Stadt«, »Pantopolis«
(soziologisch später in Amerika »Megalopolis« genannt) macht. Hier begegnen Stimmungen, wie sie,
sehr anders und mental doch verwandt in tiefem
Erschrecken, gleichzeitig in Kalifornien Günther
Anders in seinen Weltuntergangs-Visionen wort-
mächtig ausdrückt.

Werfel erschaut dies sein Über-Amerika in einer
fernen Zukunft, trägt es als Alpdruck in seinen
langen Nächten in sich. Ungeheure »Verarmung des
Lebens an Buntheit und Fülle« (dies ist eine spezifi-
sche Früherfahrung, ist Ersteindruck vieler Europäer in Amerika, bevor sie die innere Buntheit und
Fülle der so konfliktreichen amerikanischen Gesellschaft wahrzunehmen vermögen). So sieht Werfel
die Menschheit in diesen fernen Zukünften: sie ist
»weiter von Gott entfernt« als in den alten Tagen
Kains. Philosophie und Metaphysik haben »nicht
den geringsten Fortschritt« gemacht. Der ›Stern der
Ungeborenen‹ ist ein Testament Franz Werfels, in
dem er, von anderen Sternen im Weltraum, auf
einem anderen Kontinent, Amerika, noch einmal

das alte Abendland bedenkt, das er in sich trägt. Franz Werfel, ein letzter Jude (seiner Art), ein letzter Europäer (seiner Art), ein jüdischer »Katholik« (merkwürdig nahe in einigen Bezügen dem fanatischen Juden und Katholiken Joseph Roth, der weder sein Judentum noch seinen merkwürdigen Katholizismus noch sein österreichisches Europa preisgeben wollte). So ist es ganz natürlich, nämlich historisch, bildungsgeschichtlich, lebensgeschichtlich richtig, daß Werfel als die letzten Vertreter der Menschheit, als Zeugen ihrer Herrlichkeit und ihrer in allen Auseinandersetzungen durchzuhaltenden Gemeinsamkeit diese Beiden ersieht: den »Juden des (letzten) Zeitalters« und den »Großbischof«. Also: Werfels Über-Papst, als der endlich durch die Blutströme der Weltkriege und die Fluten seiner eigenen Schuld ins letzte Ende gerettete Große Vater.

Es ist Zeit, sich dem Roman ›Eine blaßblaue Frauenschrift‹ zuzuwenden. Franz Werfel, ein unersetzlicher Zeuge, ein Historiker der Innenräume, der »Wälder«, der Dickichte, der Sümpfe, der Dschungel und der nicht ungefährlichen Teiche des Donauraumes, der leibseelischen Landschaften der Donaumonarchie, verkürzt, zurückgedrängt ab 1918 auf das unheimliche, im Haß der Besiegten, der Beleidigten, der Verkümmernden, der Hungernden,

169

der Arbeitslosen sich immer noch mehr verdüstern-
de Wien, legt hier eine Fallstudie vor; am Fall des
Sektionschefs Leonidas, des »schönen Leo«, den
seine Frau León nennt, wird der Fall Österreich
aufgerollt: der Untergang eines Staates in Mitteleuropa durch den Verrat, durch den Selbstverrat einer
kleinen »führenden« Schicht, die, ohnmächtig genug, an den Schaltern der Macht saß und den Selbstbetrug und den Selbstverrat so lange trieb, bis Hitler einmarschieren ließ, am 11. März 1938.

Für sich selbst verstehende Freunde ihrer Freiheit,
die sich heute besorgt in Mitteleuropa umsehen und
das Abbröckeln eines oft so blutjungen demokrati-
schen Selbstverständnisses beobachten, mag dieser
Roman, der Geschichte im Vollsinn des Wortes ist,
und der Dichtung ist als Verdichtung komplexer
gesellschaftlicher, politischer Bezüge in eine Grund-
figur und einige Mitspieler, das Lesen einer Schrift
an der Wand bedeuten.

AEIOU, die berühmte Devise des Kaisers Friedrich III., *Austria erit in orbe ultima*, Österreich
wird bis ans Ende der Menschengeschichte bestehen, ist hier so aufzuschlüsseln: der Fall Österreich
ist überall möglich. Der Untergang eines Staates
und einer Zivilisation und einer alten Tradition:
durch Selbstverrat, Selbsttäuschung, Selbstbetrug.
Ein exemplarischer Fall. Karl Kraus sah Österreich
vor 1914 als ein Modell, eine Experiment-Stelle für

Weltuntergänge an. Das Österreich des Bundes-
kanzlers Kurt Edler von Schuschnigg, der glaubte,
an (seines) Österreichs Wesen werde die deutsche
Welt genesen, ist ein Modellfall für jenen Zusammenbruch Europas, der Hitlers Machtübernahme
umgab und mitzuverantworten hatte.

Um einen Moment abzuschweifen: die Selbsttäu-
schungen, der Selbstbetrug einer schmalen Füh-
rungsschicht in Frankreich und England, ihre innere Schwäche wurden früh von dem Manne aus
Braunau durchschaut. Gute Geister sehen von oben
den Menschen ein. Hitler sah, auf seine Weise
»richtig«, von unten, von den Kanalgittern, aus der
Perspektive des »unterischen« Wien, in die vereiter-
ten Seelen dieser hochmütigen, arroganten, oft persönlich so kultivierten, aber geistig und politisch
impotenten »Männer«, die sich da Macht vor-
spielten.

Der Roman ›Eine blaßblaue Frauenschrift‹ spielt in
Wien im Oktober 1936. Tief erschreckend, erbe-
bend erlebten österreichische Patrioten das Juli-Ab-
kommen dieses Schicksalsjahres 1936, ein Vertrag
Schuschniggs mit Hitler, der diesem Tür und Tor
öffnete. Die »guten« Nationalsozialisten – Schuschnigg verstand darunter seine katholischen braunen und halbbraunen Freunde – wurden legitimiert,
rückten in wichtige Stellungen ein, der Stern des
Richard Seyss-Inquardt begann aufzugehen, dieses

Katholiken aus Iglau, der gerade noch in der Katholischen Aktion einen Vortrag halten sollte, als ihn Göring und Hitler zur Machtübernahme beriefen.

Franz Werfel und seine merkwürdige Familie haben als Augen- und Ohrenzeugen aus nächster Nähe das Brauen der Gewitter, die Ballung des Verrates, die Tagträume der sich selbst betrügenden Schwächlinge um den Bundeskanzler Schuschnigg erlebt: in ihrer Villa, die damals das Zentrum des Schuschnigg-Österreich und der gesamten »guten Gesellschaft« und aller ihrer drängenden Außenseiter war. Die Villa Almas, die Villa Franz Werfels, ist die Villa der Gattin unseres Sektionschefs Leonidas, der keinen weiteren Namen trägt: er steht für den ganzen Klüngel der führenden Staatsbeamten, die, nach außen hin »treu österreichisch«, sich längst abgesichert hatten: entweder waren sie bereits selbst Mitglied der verbotenen NSDAP in Österreich oder hatten zumindest durch ihre Gattin, durch einen Sohn, einen Bruder, einen Onkel, einen sehr guten Freund die ihnen notwendig scheinende Rückversicherung getätigt.

Ich kenne die Villa Werfel nur durch die Berichte zweier Freunde: Fritz Wotruba und Elias Canetti. Elias Canetti fand in den stürmischen Februartagen des Jahres 1934, als die große Hexenjagd auf die Sozialisten tobte, Zuflucht im Hause Werfel, für die besonders gefährlichen Tage und Nächte, schlief da

auf einem Bündel Liebesbriefe des Protagonisten
des Staates an die wunderschöne Anna Mahler.
Fritz Wotruba erzählte mir gerne von den Tagen,
vor allem von den rauschenden Nächten in der Villa
Werfel. »Es war ein Tanz auf dem Vulkan. Unten
tobten wir, oben arbeitete er, allein, der Werfel.«
Unten führt – wie wir aus Ernst Fischers Memoiren
wissen – Alma Mahler den incognito aus der Emi-
gration in Brünn nach Wien kurz zurückgekehrten
Ernst Fischer, der heute als ein geistiger Vater des
Euro-Kommunismus zu betrachten ist, zum Gespräch mit dem nach allen Seiten hin ahnungslosen
Bundeskanzler. Über die erbarmungswürdige
Schwäche dieses dünnblütigen Männleins, Schuschnigg, der in schwärmerischer Liebe für Anna
brannte und der sich zu später Stunde von Franz
Werfel Hölderlin vorlesen ließ, und last not least,
nicht als einen guten Geist, seinen Chefideologen,
einen Theologen der Wiener Universität, der
prompt nach dem März 1938 zu den Nationalsozialisten überging, ins Haus, an den Herd der Alma
gebracht hatte – über die erbarmungswürdige
Schwäche des Kanzlers war sich Werfel früh klar.
Dennoch: der Sektionschef Leonidas ist nicht ein
Konterfei Schuschniggs. Ich habe persönlich den
Sektionschef Leonidas recht gut gekannt, einer seiner Geistesbrüder ist der Sektionschef in meinem
Roman ›Scheitern in Wien‹, der ein Kapitel aus dem

Selbstverrat im Wien von Heute skizziert. Nach meiner ersten Lesung aus diesem Roman fragte mich der Führer der österreichischen Volkspartei, Karl Schleinzer, wer denn dieser (mein) Sektionschef sei. Die Antwort gab ihm ein ihm sehr nahestehender hoher Funktionär seiner Partei: »Aber Karl, da sind ja ein Dutzend Sektionschefs drin.« Im Sektionschef Leonidas sind wohl »nur« einige wenige der höchsten Beamten rund um Schuschnigg verkörpert. Das genügt Franz Werfel völlig, um in eine Gestalt dies zu verdichten: die innere Gebrochenheit dieser Existenzen, die zu – ungewollten – Verrätern an Österreich wurden, da sie schizoide, schizophrene, zumindest brüchige Existenzen waren. Kurt von Schuschnigg träumte von seiner Geliebten Deutschland, von dieser hohen unerreichten Braut, der zuliebe er keinen »Tropfen deutschen Blutes« vergießen durfte: so würgte er den Widerstand in Österreich ab. Der Sektionschef Leonidas träumt von seiner jüdischen Geliebten, Dr. Vera Wormser, die er schmählich betrogen, verraten und verlassen hat, und sinnt, während er auf die einzige Wiederbegegnung wartet, diesem Verrat nach: »Der ganze Unsegen kam von der Halbschlächtigkeit seines Herzens, so stellte er fest. Dieses Herz war einerseits zu weich geraten und andrerseits zu windig. Sein Lebtag litt er daher an einem ›verdorbenen Herzen‹.«

174

Noch explodierte es nicht, in diesem Oktober 1936, »das goldene Wiener Herz«, es explodierte erst im März 1938, als die johlende, heulende Menge die Juden umstand, die auf die Straße getrieben wurden, um Schuschniggs Parolen – Aufruf zu einem erst-letzten Widerstand – von den Wänden, vom Straßenboden abzuwaschen.

Franz Werfel gelingt es, die gespenstische Atmosphäre dieses Wien, in dem die Männer und Frauen um Schuschnigg ihren politischen Selbstmord und/oder ihre »Auferstehung« aus dem Schoß der Mutter Germania vordenken, vorbereiten, vorfühlen oder zumindest tatenlos erwarten, beklemmend gegenwartsnah – zu gestalten. Nicht wenige österreichische Patrioten atmeten – mit mir – zum erstenmal auf, als sich hinter uns – zum erstenmal – die Tore des Gefängnisses schlossen: ein kurzes Aufatmen – wir fühlten, wie dieser *eine* Druck von uns wich: in einer Welt leben, arbeiten, kämpfen zu müssen, die voll Lüge, Feigheit, Selbstbetrug, von unfrommen »frommen Wünschen« war. Wo der Gesinnungsfreund, der sich so eindrucksvoll wie der Sektionschef Leonidas zu Österreich bekannte – »Wir sind schließlich das letzte Bollwerk der Kultur in Mitteleuropa« –, bereits am Revers das Hakenkreuz trug. Dieser Satz in der ›Blaßblauen Frauenschrift‹ wurde damals tausendmal ritualistisch proklamiert: leider glaubten ihn auch nicht

wenige Emigranten, die nach Hitlers Machtübernahme nach Österreich gekommen waren, jüdische
und katholische und liberal-humanistische
Deutsche von hohem geistigen Rang, die ihrerseits
in Wien ein Resistance-Zentrum des deutschen Gei-
stes gegen Hitler aufzubauen suchten.

Es kann im Rahmen dieser Notiz nicht versucht
werden, die Rollen alle aufzuschlüsseln, die direkt
auf die fatalen Protagonisten hinweisen, die sich
zumeist als Spieler im Hintergrund dieser tragischen
Komödie – »Der selbstverschuldete Fall Österreichs
1936–38« – verstanden. Franz Werfel nennt Randfi-
guren, die als »Statisten«, als Mitglieder der großen,
guten Gesellschaft vorüberhuschen oder eben nur
einmal genannt werden, mit ihrem vollen Namen
(so eine Gräfin Hojos) oder kaum verschlüsselt: so
die Familie Thurn-Valsassina, im Roman: »die Torre-Fortezzas, ältester Feudaladel«. Ein anderer Fall
ist der Universitätsprofessor Schummerer, die graue
wissenschaftliche Eminenz, als Berater des Unter-
richtsministers Vinzenz Spittelberger. Schummerer,
»er war Prähistoriker vom Fach«. Ich sehe ihn vor
mir, den Professor Oswald Menghin, im März 1938
Unterrichtsminister in der einzigen nationalsozia-
listischen Regierung Österreichs, ein strammer Katholik. Nach 1945 ging der nicht unbedeutende
Kopf nach Südamerika, an eine Universität.

Rund um den Unterrichtsminister Vinzenz Spittelberger wird der massive mentale politische Hintergrund, die »Basis« dieser Komödianten, von Franz Werfel meisterhaft aufs Korn genommen: das ist jener »christlichsoziale« katholische österreichische und spezifisch wienerische Antisemitismus, der in der Lueger-Partei (Dr. Karl Lueger, Führer der Christlichsozialen Partei, von Hitler als »größter deutscher Bürgermeister« gefeiert) immer noch eine verhängnisvolle Rolle spielte. Töricht und vergeblich hofften »namhafte« Führer des österreichischen Katholizismus, Bischöfe und Theologen und vor allem Politiker, dem braunen Antisemitismus durch einen im Ton und auch in den Zielen gemäßigten »christlichen«, »katholischen«, »österreichischen Antisemitismus« das Wasser abzugraben, wobei zur Verwirrung nicht weniger patriotischer österreichischer Juden und Nichtjuden auch Luegers Maxime praktiziert wurde. »Was ein Jud ist, bestimm' ich.« So wie Lueger eine ganze Reihe von Juden als Mitarbeiter und »gute Leute« annahm, hatten nicht wenige dieser christlichsozialen »Helden« im Privatleben, aber auch vor allem als Wirtschaftshelfer und Finanziers jüdische Freunde.

Der Unterrichtsminister Vinzenz Spittelberger (um kein Mißverständnis aufkommen zu lassen: Schuschniggs faktischer Unterrichtsminister, der Sektionschef Perntner, trägt nicht Züge Spittelbergers. Ich befand mich zufällig in seiner Nähe, als er telefonisch von Schuschnigg den Auftrag erhielt, unter Ausschluß der Öffentlichkeit, also der Presse, Sigmund Freud ein Glückwunschtelegramm zum 80. Geburtstag zu übersenden), dieser Spittelberger ist ein mit allen Schmutzwassern geschmierter »bäuerlicher« Mensch, der es faustdick hinter den Ohren hat, eine Kreatur in der Statur des steirischen Landeshauptmanns Rintelen, der in den Dollfuß-Mord verwickelt war. Wie Rintelen hofft Spittelberger, bald Bundeskanzler zu werden. Mit Hilfe der schwarzbraunen und braunen Couleurs. Seine »großen« Vorgänger sind jene antisemitischen und »liberalen« Unterrichtsminister, die dem Privatdozenten Dr. Freud keine Professor geben wollten und in Schnitzlers ›Professor Bernhardi‹ geradezu strahlend in ihrer glänzenden, bestens kultivierten Charakterlosigkeit auf die Bühne der Gegenwart kommen.

Leonidas, also »*Der Fall* Österreich, dargestellt *im Falle* des Sektionschefs Leonidas«, ist von jener Sicherheit beseelt, die so lange Zeit unsere Sektionschefs beseelte und beseligte: »Gleich den anderen höchsten Beamten des Staates hegte der Sektionschef keine besondere Hochachtung für die Herren Minister. Diese wechselten nämlich je nach Maßgabe des politischen Kräftespiels, er aber und seine Kollegen blieben. Die Minister wurden von den Parteien empor- und wieder davongespült, luft-

schnappende Schwimmer zumeist, die sich verzweifelt an die Planken der Macht klammerten.«

Warum muß er fallen, der Sektionschef Leonidas,
wenn er sich doch so »sicher« weiß? Leonidas fällt,
weil er, ein Mann aus kleinsten Verhältnissen, sich
immer angepaßt und es nie gewagt hat, in der
Wahrheit zu leben. Diese Wahrheit kam ihm zu in
der jungen Jüdin Vera Wormser, in der er zuerst
nur eine »intellektuelle Israelitin« sehen wollte.
Leonidas betrügt schamlos diese ganz auf ihn ver-
trauende junge Frau, betrügt sie wenige Monate
nach seiner Hochzeit mit der reichsten Erbin
Wiens, Amelie. Auch Amelie lebt in der Wahrheit,
auf ihre kreatürliche Weise. »Diesen radikalen, ja
schamlosen Mut zur Wahrheit wie Amelie hatte er
nie besessen. Das kam vermutlich von der minderen
Herkunft und der einstigen Armut.« (Franz Werfel
zeichnet, »ganz Werfel«, seinen Helden von der
traurigen Gestalt nicht ohne ein gewisses Maß von
Sympathie, von Mit-Leiden).

Linkische und »linke« junge Deutsche mokieren
sich über das obstinate Festhalten des »reaktionä-
ren« Hugo von Hofmannsthal an der Ehe als Achse
der Gesellschaft, ja der Menschheit. Franz Werfel
ist mit Hofmannsthal überzeugt: die Ehe, alt-
deutsch »êwa«, mittelhochdeutsch »éé« (»diu alte
und die niuwe éé« sind das Alte und das Neue
Testament), ist das Fundament aller mitmenschli-

chen Beziehungen. Wer die Ehe bricht, wer die Treue einer Frau gegenüber bricht, ist *der* Verräter: er wird also auch alle anderen auf Treu und Glauben aufgebauten Beziehungen brechen, verraten: Gott und Mensch und Staat und Volk.

Der Sektionschef Leonidas bricht seine beiden Ehen, die mit seiner Frau Amelie und die tiefere, existentielle »Ehe« mit der Jüdin Vera, und bezeugt sich damit als für den großen Verrat an Heimat, Volk, Vaterland prädestinierten Verräter.

Der Roman Franz Werfels ›Eine blaßblaue Frauenschrift‹ ist also dies: die Erhellung des Zusammenbruchs eines Staates, einer Gesellschaft, schuldhaft verursacht durch die Charakterlosigkeit einer führenden Kaste von Männern, die sich als Verräter an ihren Frauen »bewähren«. Ein österreichischer Fall. Nur dies?

Friedrich Heer